D0784253

NICE
1914

AS you like it

22
SOYEZ BONS POUR LES ANIMOS SVP

ÇANTECLER

L'ACTEUR ROY

Carnaval, de retour d'une tournée unique,
En ce jour s'en revient vainqueur, du Pôle Nord.
Il y fit admirer les beautés magnifiques
De CANTECLER, l'œuvre [illegible] d'or.

Ainsi que chacun sait, CANTECLER est un drame.
L'auteur en est connu, c'est Monsieur [illegible]
Monsieur [illegible], de Marseille, [illegible]
Un poète. Il y peint les animaux, la [illegible]

Le chat, le maquereau, l'éléphant et le [illegible]
La punaise des bois de lit, et puis la grue,
Le coq, la poule et le cousin et le hibou,
Le paon, le [illegible], le [illegible] et la [illegible]

Il les fait dialoguer, il faut entendre ça !
Elle n'y [illegible] pas, certes, la repartie,
[illegible] ! Mais aussi, tout là-bas,
Les Esquimaux en ont fait une maladie.

[illegible], Carnaval Trente-et-Huit, c'est le Coq.
[illegible] le Cook, l'orthographe [illegible]
L'essentiel, pour nous tous, c'est qu'il n'est pas vu [illegible]
[illegible] au Pôle. Or [illegible], pas d'équivoque.

De ses [illegible], la strophe en s'envolant,
Fit fondre la banquise et l'accent de Marseille
[illegible] les ours blancs,
Les phoques, les pingouins... Merveille des merveilles !

Un rival, cependant, échappé du pays
Où l'on adore à plat le [illegible],
L'Empereur du [illegible], [illegible],
S'y rendit, comme un traître, empli de maléfices.

Prenant les Esquimaux pour poires à taper,
Ce vieux singe essaya d'éclipser sous ses [illegible]
Le verbe [illegible] du Roy... Sans se [illegible]
[illegible], l'[illegible] dans sa veste.

Fêtons donc, sans remords, notre Roy qui revient.
Ah ! plaignons l'Esquimau, [illegible] de sa maladie,
[illegible] nos maux, chassons l'hypocondrie.
Offrons en gerbe notre joie au [illegible].

Daniel Fabre est directeur d'études à l'Ecole des hautes études en sciences sociales. Il anime à Toulouse le Centre d'anthropologie des sociétés rurales voué, pour partie, à l'ethnologie de l'Europe. Ses premières recherches ont porté sur l'oralité pyrénéenne (*La Tradition orale du centre occitan*, PUF, 1974), sur les sociétés rurales occitanes (*La Vie quotidienne des paysans du Languedoc au XIXe siècle*, Hachette, 1973 et 1991), sur le carnaval (*La Fête en Languedoc*, Privat, 1977 et 1990, avec Charles Cambeuroque), sur le banditisme rural (*Le Brigand de Cavanac*, Verdier, 1982, avec Dominique Blanc). Ses travaux actuels explorent la relation des vivants et des morts dans l'Europe méditerranéenne et la façon dont ces mêmes sociétés «font» les garçons et les hommes.

Pour Céline.

Dépôt légal : février 1992
Numéro d'édition : 52155
ISBN : 2-07-053163-5
Imprimerie Kapp Lahure Jombart, à Evreux

CARNAVAL
OU LA FÊTE À L'ENVERS

Daniel Fabre

DÉCOUVERTES GALLIMARD
TRADITIONS

Dès la fin du IIe siècle, les docteurs chrétiens ont lu dans les jeux masqués, les bombances calendaires, les quêtes nocturnes... d'inquiétantes résistances puis résurgences du paganisme, plus dangereuses encore que les cultes civiques et impériaux car liées au rythme du temps et au socle «populaire» des sociétés locales. Depuis, le carnaval n'a cessé d'engendrer ses ancêtres, de se reconnaître dans les miroirs que lui tendait l'Histoire.

CHAPITRE PREMIER

LE VERTIGE DES ORIGINES

Sur la scène du théâtre, par les rues et places, le masque antique, avec sa double face – horreur tragique ou grimace comique –, impose son mystère. On s'efforce de le circonscrire en lui assignant un temps, un espace, un dieu tutélaire.

A Babylone, l'inversion des mondes

Au IIIe siècle av. J.-C., un nommé Berose, prêtre babylonien de Baal – titre akkadien du dieu Marduk, le premier des dieux –, rédigea en grec les arcanes du savoir, de la mythologie et des croyances de la vieille civilisation mésopotamienne qui avait fleuri deux mille ans plus tôt et dont il se sentait l'ultime héritier. Les précieux fragments qui nous restent de ses *Babyloniaka* perdus contiennent la description des Sacées, une fête qui commence le 16 du mois de lous (juillet). Pendant cinq jours, les hiérarchies sont tourneboulées, les serviteurs donnent des ordres à leurs maîtres ; un prisonnier revêtu des insignes du roi régnant tient sa place, s'exhibe sur son trône, mange à sa table les meilleurs mets, couche avec ses épouses avant d'être mis à mort au soir du cinquième jour : dépouillé de son costume, il est fouetté avant d'être empalé ou pendu.

Deux autres rites akkadiens font écho aux Sacées en jouant aussi sur l'envers. Le premier, celui du substitut royal, s'impose chaque fois qu'un danger menace le pays et son souverain, qu'il s'agisse d'une guerre effective, d'un oracle de mort proféré par un devin ou d'une éclipse de lune dont on redoute les effets cosmiques. Alors le roi est soustrait à tous les regards. Il perd son titre et

Les Sumériens puis les Akkadiens ont fait du prêtre un mage qui décrit les mouvements célestes et compte le temps, rédigeant de minutieux almanachs. Ainsi, ils ont mis au cœur du religieux le calendrier et les cérémonies qui en dessinent le cycle. Ci-contre, le dieu Baal.

on le nomme par antiphrase «le paysan». Un «homme simple», disent les textes, tient son rôle; extrait du peuple, «innocent» peut-être, il porte le manteau d'apparat, rouge ou blanc, la couronne, le sceptre et la masse d'arme. On peut même lui attribuer une épouse, une «reine» vierge à déflorer. Et, là encore, comme pour les Sacées estivales, le souverain fictif est, une fois le danger écarté, mis à mort «à la place du roi». En agissant ainsi, on ne cherche pas à tromper les dieux; on leur offre, au contraire, un objet sur lequel exercer leur absolue volonté.

Les temples babyloniens, flanqués des ziggourats spiralées, sont liés à l'observation des astres. Les tablettes d'Uruk n'ont-elles pas livré un grand traité d'astrologie dont l'essentiel porte sur la prédilection des éclipses de lune?

Le dernier rite prend place au début de l'année, au mois de nisan, de part et d'autre de l'équinoxe de printemps. Il dure onze jours. Tout se déroule à Babylone, dans l'Egasila, le grand temple du dieu Marduk. Là se renouvellent les destins : celui du monde dont, au matin du quatrième jour, on lit solennellement le récit d'origine. L'*Enûma Elis* – le poème de la création –, celui du roi qui, au soir du même jour est humilié, dépouillé de ses insignes par le grand prêtre, giflé, traîné par les oreilles jusqu'à la statue divine. Là, il se prosterne, affirme en forme de supplication qu'il n'a pas abusé de son pouvoir contre le dieu, le temple, la ville et ses sujets.

C'est aussi au nouvel an que sont fixés pour l'année les sorts de chacun mais, à cette occasion, selon la plus ancienne inscription qui évoque la fête, «la servante marche à hauteur de sa maîtresse», et non plus devant elle, et «le puissant est ramené au rang du commun».

Le mouvement pendulaire du temps

Avec le nouvel an babylonien s'établit la relation entre un moment du calendrier où l'année est

Une religion orgiaque, telle fut longtemps la vision dominante; et le déchiffrement de la fameuse inscription du roi Gudea de Lagash, évoquant les rites de la nouvelle année, ne la dissipa en rien. De cela le *Balthazar dans le temple de Babylone* (1820, ci-dessus) de John Martin donne le ton.

Le roi akkadien est un roi sacré. De sa puissance préservée et reconstituée dépend le sort de toute la société. On prie pour lui (ci-contre, adorant, dédié au dieu Amurru, pour la vie d'Hammurabi) et les fêtes d'inversion canalisent les forces cosmiques vers sa personne.

achevée et n'a pas encore commencé, des travestissements qui inversent l'ordre des rangs et, enfin, une régénération de la société tout entière à travers la personne du roi, caché, humilié, puis à nouveau consacré. Une conception du temps se dessine ici : dans cette culture qui attache tant d'importance à l'ordre astrologique du monde, c'est un mouvement pendulaire qui régit la suite des ans. Pendant onze jours, celle-ci s'arrête et les rites permettent qu'elle reparte, mais à l'envers.

Bien qu'aucun rapprochement terme à terme n'ait pu être établi avec certitude, l'intuition s'est imposée que la racine de notre carnaval était découverte et c'est dans l'enthousiasme que furent accueillis, à la fin du XIXe siècle, les déchiffrements de tablettes cunéiformes attestant de ces rituels. Restaient à identifier les cheminements de cet héritage.

Les médiateurs perses

En 539, les Perses occupèrent Babylone. Ces Indo-Européens furent, selon James George Frazer, les médiateurs du «carnaval». N'est-ce pas dans leurs communautés d'Asie mineure que Strabon, le géographe grec, retrouve un écho des Sacées au Ier siècle av. J.-C. ? N'ont-ils pas suscité et inspiré une fête carnavalesque, nommée *Pourim*, continûment célébrée par la diaspora juive ? Instituée par les rabbins, et non par la Torah, elle célèbre la sauvegarde par Esther de la communauté exilée

Rejouer le commencement, réinstituer l'ordonnance des mondes divin et humain que les prêtres et le roi doivent lier ensemble, tel est l'effet des rites où les rôles s'inversent. Ils marquent le calendrier car cet ordre trouve dans le temps qui revient ses repères et ses modèles. Sans doute ne peut-on assurer, comme le croyait Florens Christian Rang, que voici l'origine historique du carnaval, sa source première. Du moins est-il certain que les futures mascarades répondent, à l'échelle des communautés qui les vivent, aux mêmes attentes implicites. Le jeu, ou plutôt le rite, remet à neuf la mécanique subtile des rapports sociaux.

à Babylone dont le sort funeste était scellé par les intrigues d'Aman, le favori du roi Assuérus. Si la fête commémore le danger écarté, la joie collective y prend des formes singulières. On échange des présents, des pâtisseries que font transiter les enfants; on couvre de huées et du bruit des crécelles le nom d'Aman chaque fois qu'il apparaît au cours de la lecture du rouleau d'Esther; on boit à en perdre la décence; on échange entre hommes et femmes les vêtements, au mépris de l'interdit mosaïque...

Que cette fête prenne place au milieu du mois d'adar, le douzième de l'année lunaire, celui qui précède la Pâque, que son nom, «Pourim», renvoie à une racine akkadienne signifiant sans doute le «sort», qu'elle rappelle explicitement la captivité à Babylone, six siècles avant J.-C., et l'on fut fondé à y voir l'adaptation hébraïque du vieux rite mésopotamien qui se trouvait ainsi doué d'une vitalité persistante.

“Et tous les serviteurs du roi qui se tenaient à la porte pliaient le genou et se prosternaient devant Aman car tel était l'ordre du roi; mais Mardochée ne pliait point le genou et ne se prosternait pas. Et Aman fut rempli de colère. [...] Et il décida d'exterminer tout le peuple de Mardochée, les Juifs du royaume d'Assuérus. Il dit au roi : «Il est un peuple dispersé, [...] ses lois diffèrent, [...] et le roi n'a pas intérêt à le laisser vivre.»”

Livre d'Esther, 3

La liturgie juive de Pourim redit le «miracle» d'Esther qui, quinze jours avant la Pâque, incarne puis détruit l'Ennemi : Esther, la nièce de Mardochée, après un jeûne de trois jours, intercède auprès de son roi qui lui accorde le pardon pour son peuple et ordonne la pendaison d'Aman; depuis, en habit de fou, on boit jusqu'à confondre les noms d'Aman et de Mardochée.

Les saturnales, temps fort de l'année cérémonielle

Sous le règne de l'empereur romain Honorius, au tournant du IVe siècle, vécut Macrobe, un des érudits les plus secrets de l'Antiquité tardive. Il fut – ou est-ce un homonyme ? – vice-préfet des Espagnes puis proconsul d'Afrique. Alors que l'Empire et ses élites se sont convertis au christianisme tout au long du siècle écoulé, Macrobe se présente au contraire comme un des derniers zélateurs du paganisme. Son savoir, il le rassemble dans les *Saturnaliorum*, une apologie profuse et inspirée, adressée à son fils.

La scène se déroule à Rome, deux semaines avant les calendes de janvier, entre le 17 et le 19 décembre, pendant la fête des saturnales. «Les personnes les plus distinguées de la noblesse romaine» se reçoivent, banquettent et dialoguent sur la poésie et les anciennes coutumes. Macrobe se fait le scribe de l'un de ces échanges autour de Praetextatus, un sage – qui

“Or Janus, ayant donné l'hospitalité à Saturne, qu'un vaisseau amena dans son pays, et ayant appris de lui l'art de l'agriculture et celui d'améliorer les aliments, partagea avec lui la couronne. Janus fut aussi celui qui frappa des monnaies de cuivre; et il témoigna dans cette institution un tel respect pour Saturne qu'il fit frapper d'un côté un navire, parce que Saturne était ainsi arrivé, et de l'autre l'effigie du dieu pour transmettre sa mémoire.”

Macrobe,
Les Saturnales, I, 7

a véritablement vécu – très versé dans les plus hauts savoirs, étymologiste et connaisseur des règles régissant le calendrier et l'ordre des fêtes. Pour ce dernier, c'est aux saturnales que s'ouvre la période clé de l'année cérémonielle.

Les rites en étaient bien connus et Macrobe n'en reprend pas le détail. S'il évoque les festins, dans le temple de Saturne, avec l'inversion des rôles – les maîtres servent les esclaves –, il passe sous silence le sacrifice familial du cochon de lait et l'élection par le sort d'un roi de fantaisie auquel est conférée la liberté de commandement et de parole. En revanche, il s'attarde sur l'instaurateur de la fête, Janus, dont il fait un archaïque roi d'Italie, maître de paix et d'abondance, qui choisit d'honorer Saturne dont le nom fut communément associé aux *sata*, aux semences, mais dont la sphère d'action est le temps. Et Macrobe profite de l'occasion pour présenter un exposé très complet des fêtes de l'hiver comme témoins de l'histoire du calendrier romain.

« Chez nous le nom de Janus indique qu'il est aussi le dieu des portes. […] On lui donne deux visages, parce que les deux portes du ciel sont soumises à son pouvoir, et qu'il ouvre le jour en se levant et le ferme en se couchant, tel le soleil. On l'invoque d'entrée quand on sacrifie, pour […] faire «passer par les portes» les offrandes des suppliants. »

Macrobe,
Les Saturnales, I, 9

La mesure du temps

Romulus, le fondateur légendaire, a dessiné l'espace mais aussi le temps originel. Il crée une année lunaire qui commence en mars et dont le nom des mois témoigne encore : notre décembre n'est-il pas le dixième ? Numa, son successeur, pour accorder l'année au rythme solaire des saisons, a ajouté deux mois. Le premier, janvier, est dédié à Janus aux deux visages : «Il voit la fin de l'année écoulée et regarde le commencement de celle qui s'ouvre.» Le second, février, est voué aux purifications car il est le mois des mânes et c'est pour cela, note Macrobe, qu'on ne lui laissa que vingt-huit jours, «comme si l'infériorité du nombre fut appropriée aux dieux infernaux». A Rome, le 15 février sortent les *luperques*, sectateurs de Faunus – Pan, selon Ovide.

MENSIS APRILIS

AVSONII TETRASTICHON:

Contectam myrto Venerem veneratur Aprilis ;
Lumen thuris habet, quo nitet alma Ceres.
Cereus à dextrâ flammas diffundit odoras ;
Balsama nec desunt, quêis redolet Paphie.

Nous voici au temps de l'empereur Auguste, dans une belle villa patricienne non loin des murs de Pompéi. Un sénatus-consulte avait eu beau interdire les bacchanales en 186 av. J.-C., le culte vit toujours, non officiel, secret. Il donne au masque une place évidente mais qui demeure énigmatique dans le déroulement de l'initiation. C'est elle que retrace la frise qu'orne la grande salle de la villa des Mystères dont la maîtresse, la *domina*, devait vouer un culte à Dionysos. Au seuil, la future initiée se présente, la tête couverte d'un voile. Un jeune garçon nu lui fait, sous le contrôle de l'initiatrice, la lecture du drame sacré – peut-être le récit du mariage de Bacchus et d'Ariane qui trônent au centre de la composition. Un peu plus loin, les révélations se succèdent, jusqu'au dévoilement du grand phallus, et c'est là que nous voyons un silène tendre une coupe dans laquelle un jeune satyre plonge avidement son regard. Au-dessus de lui, son comparse élève un masque de comédie. Que leur est-il dévoilé ? L'avenir ou le visage du dieu aimé ?

Ils protègent les troupeaux du loup dont ils portent le nom. «Deux jeunes garçons, fils de patriciens, sont conduits au lieu du sacrifice – la grotte du Lupercal, sur le Palatin; les uns leur passent le couteau ensanglanté sur le front, d'autres leur essuient le sang avec de la laine trempée dans du lait; lorsque leur front a été purifié, les jeunes gens doivent rire. Après avoir accompli ce rite et coupé en lanières les peaux de bouc, les *luperci* se mettent à courir dans tous les sens avec une simple étoffe autour des reins et ils fouettent ceux qui se trouvent sur leur passage; les jeunes épouses ne doivent pas éviter leurs coups car ils sont supposés les aider à concevoir et à mettre au monde leurs enfants» (Plutarque, *Vie de Romulus*).

Epouses et mères, les matrones romaines ont leur fête en mars, et Ovide voit là le rappel de la tenace résistance des Sabines. Vouées à Junon et à son culte, c'est moins sur les hommes qu'elles exercent leur pouvoir que sur les jeunes filles. Telles des marraines, elles préparent leur mariage et veillent sur leur fécondité future.

Mais, selon Macrobe, la réfection de Numa, parachevée par Jules César et Auguste qui dessinèrent notre actuel calendrier, eut pour effet de redoubler les débuts de l'année. Les *calendae januaris* sont marquées, depuis César, par la cérémonie d'entrée en fonction des nouveaux consuls, la consultation des augures et l'échange d'étrennes et de vœux, mais celles de mars donnent toujours lieu aux *matronalia*, la fête des femmes mariées qui, comme les hommes aux saturnales, honorent leurs esclaves.

De plus, deux cérémonies marquent nettement le réveil printanier : le 14 mars, pendant lequel le *Mamurius Veturius*, «le vieux de mars», un homme vêtu de peaux que l'on frappe à coups de verges écorcées, est chassé à travers les rues de Rome; et la première pleine lune qui est dédiée à Anna Perenna. On la fête «pour obtenir, dit Macrobe, de passer heureusement l'année et d'en avoir plusieurs autres». Ovide a

admirablement décrit les déjeuners dans les prés, le long du Tibre, sous les cabanes de feuillage et les tentes dressées tout exprès, les coupes que l'on vide à proportion des années que l'on souhaite encore vivre, les danses effrénées, les chants appris au théâtre auprès des mimes et les retours joyeux et titubants.

Temps de la lune et temps du soleil

Dans le monde romain, cette longue période opère donc le raccord des deux rythmes calendaires, celui, plus rapide, de la lune avec celui, plus lent, du soleil; raccord indispensable pour que les fêtes soient articulées aux saisons, à leurs occupations et à leurs fruits. Des saturnales à Anna Perenna, nous sommes, pour Macrobe, sous la puissance des jours intercalaires et tous ces rites égrènent le temps entre deux temps, janusien par excellence.

Quant au traité *Saturnaliorum*, il nous présente l'ultime recueil d'un calendrier polythéiste ouvert à tous les syncrétismes. Rome et la Grèce y sont rassemblés – Dionysos comme Pan surgissent dans ce temps inversé. L'Assyrie n'est pas non plus oubliée et l'on aurait pu y ajouter, comme le fit Apulée dans *L'Ane d'or*, la fête des sectateurs d'Isis l'Egyptienne. Ceux-ci se masquent le 5 mars et processionnent joyeux devant le char qui porte la barque que

Que restera-t-il des dieux antiques dans le nouveau temps des chrétiens? *Janus bifrons* est bien là, dans la peinture romane catalane, et les enlumineurs de l'an mil n'ont pas oublié les chars solaires d'Apollon et lunaire de Diane (ci-dessus). Mais surtout, demeurent les noms des mois et des jours. Mars, Mercure, Jupiter et Vénus ont même leurs équivalents dans les planètes malgré les Pères de l'Eglise et leurs anathèmes. Quant à Diane et à Neptune, ils deviennent *Janas* et *Nuitons*, petits démons forestiers qui, entre décembre et février particulièrement, quêtent l'attention des hommes.

l'on offre à la déesse protectrice des navigateurs. En outre, comme Macrobe est nourri de sagesse platonicienne, il ramène, pour finir, tous ces dieux à l'astre divin, au soleil dont ils déclinent la toute-puissance à travers ses positions ordonnées et ses mouvantes apparences.

L'unification chrétienne

Après ces derniers feux du paganisme qui offrent une multitude d'origines possibles du carnaval, le férial chrétien apparaît comme le résultat lentement élaboré d'une confrontation historique; c'est d'elle que le carnaval tient sa place et ses formes et c'est donc là qu'il faut en chercher les plus sûres racines.

Le christianisme désormais reconnu développe une «politique du temps» très différente de celle du polythéisme. Tout d'abord, l'ordre théologique doit être inscrit dans le cursus des fêtes de l'année – alors que le calendrier antique se permettait d'accueillir maintes divinités secondaires ou marginales, qui n'avaient parfois pas d'autre existence que cette apparition fugitive, au détriment de certains grands dieux qui, tel Jupiter, y étaient peu présents. La même volonté d'emprise conduisit à unifier, s'agissant de la commémoration du grand drame christique, le temps de tous les chrétiens, quel que soit leur lieu de vie dans le vaste Empire. Enfin, et c'est une différence majeure, la liturgie chrétienne instaure une obligation générale de culte; en principe, elle ne favorise

Sans doute la vie et la mort du Christ ont-elles d'abord été comprises en référence à d'autres destins mythiques : celui d'Orphée, celui de Dionysos (à gauche, masque du IIe siècle découvert en Mésopotamie) et celui de Mithra.

Dès le IIIe siècle, le temps des chrétiens a Pâques comme pivot. Quant à la Passion – dont Piero della Francesca peindra les scènes sur le manteau de saint Augustin (page de droite) –, elle est la «grande semaine» qui gouverne les autres fêtes.

pas les dévotions sélectives, les confréries autonomes, ce qui était le mode d'existence de la croyance et de la pratique païennes.

Les fêtes païennes dans l'ombre du christianisme

Les sources doctrinales de l'opposition chrétienne à tous les cultes anciens sont très claires. Les dieux du passé ne sont pas morts; ils n'ont pas disparu de ce monde mais sont maintenant reconnus comme des démons et l'on ne fête pas ces êtres déchus. D'autre part, l'usage du masque, au théâtre comme dans les rites, est une atteinte grave au créateur. L'homme a été fait à la ressemblance de Dieu. Il commet donc un péché en modifiant son image; aussi le Diable est-il désigné comme le maître inquiétant de l'illusion et du masque.

Ces enseignements des Pères de l'Eglise auraient dû logiquement entraîner l'éradication complète de toutes les mascarades, ces jeux où, en se mettant à l'envers, on passe dans le royaume du Malin. Or il n'en est rien. Certaines fêtes masquées ont au contraire pris leur essor dans l'ombre du christianisme triomphant

qui pourtant ne cesse, par la voix de ses meilleurs clercs, de tonner contre elles. Il faut donc entendre, dans le débat tumultueux qui nous conduit jusqu'au Moyen Age, moins une volonté d'éliminer le férial antique qu'un effort pour l'intégrer, le fixer dans un autre temps, lui donner un sens nouveau. La continuité est sans doute réelle mais elle implique un remodelage essentiel.

Les calendes de janvier gagnent l'Empire chrétien

Dans la clôture des maisons, la fête poursuivit son cours, avec ses repas, ses vœux échangés, ses offrandes réciproques de branches vertes de laurier, de confiseries et, un peu plus tard en Italie du Sud, de petites lampes marquées des souhaits pour l'*annum novum*. Les tout premiers témoins y voient une coutume limitée à Rome et à sa région mais, à partir du Ier siècle, comme les empereurs encouragent les formes publiques du rite – qui, désormais, s'adressent à leur personne –, la fête se répand dans les colonies d'Occident et en Afrique berbère.

« Quel tumulte ! Quelle clameur satanique ! Un jeune homme arrive le poil lissé, l'allure d'une tendre fille. Puis un vieillard au chef rasé qui a abandonné toute honte. Quant aux femmes, en cheveux, sans pudeur, elles excitent les spectateurs à la débauche. Ces mots lascifs, ces manières ridicules, ces démarches, ces costumes, ces voix, ces pipeaux et ces flûtes, ces intrigues, tout n'est qu'obscénité. »

Jean Chrysostome, Sermon sur Matthieu, vers 385

Au début du IVe siècle, on évalue à cent soixante-quinze jours par an la place des jeux offerts au peuple. Un autre rythme va s'installer un siècle plus tard. Les fêtes profanes furent interdites le dimanche, puis pour Noël, l'Epiphanie, Pâques, Pentecôte et la passion de Pierre et Paul (29 juin). Justinien enfin, en 539, n'autorisa que sept spectacles par an : deux défilés, un combat de gladiateurs, deux courses de chars, une lutte contre des bêtes sauvages, une représentation dramatique. Pourtant, dans les vieilles provinces de l'Empire, les belles villas patriciennes s'ornaient toujours des décors, des scènes et des masques du théâtre.

Avec l'Empire chrétien, d'un coup, les calendes gagnent tous les pays romanisés et s'enrichissent de rites nouveaux. La fête maintenant dure trois jours. On attend l'année nouvelle en couvrant la table familiale des mets les plus riches et les plus variés afin qu'ils soient donnés en abondance tout au long de l'an nouveau. Le lendemain, 1er janvier, est le jour des vœux et des étrennes, privées et publiques, et les banquets agrémentés de danses reprennent le soir. Le 2 janvier, on reste à la maison. Les calendriers illustrés montrent le maître jouant aux dés avec ses esclaves. Le dernier jour, la fête atteint son apogée. Dans les villes, on offre des jeux de cirque, on jette de la monnaie à la foule et, partout, on défile masqué.

Apparues vers 350, ces parades vont devenir le trait saillant des calendes de janvier, et ce dans tout l'Empire, jusqu'au VIIIe siècle parfois. Il s'agit bien d'un rite avec son ordre et ses récurrences. Si l'on rencontre des sortes de tableaux vivants mythologiques – représentant, comme au théâtre à la même période, Saturne ou Hercule, Diane et Vulcain –, dominent en fait les masques d'animaux, cerfs et génisses surtout, et les déguisements grotesques d'hommes fardés et couverts de bijoux.

La marque du christianisme dans le cérémonial du nouvel an

On commence, comme dans les dévotions chrétiennes, par une vigile, au soir du 31 décembre; le lendemain, on s'embrasse fraternellement et l'on se salue avec des formules riches d'échos : *Floreas in Deo*, «épanouis-toi en Dieu», ou *Vivas et gaudeas*, «vis et réjouis-toi». Ensuite, la fête prend place au cœur d'un temps tout récemment délimité : c'est au IVe siècle en effet que l'on a fixé la naissance de Jésus au 25 décembre et la visite des mages au 6 janvier. Ces douze jours coïncident à merveille avec la période des calendriers celte et germanique, celle que les langues modernes nomment les «Douze Nuits» et que l'on rattache aujourd'hui à un petit mois intercalaire du premier calendrier indo-européen. Quoi qu'il en soit, les Douze Jours contiennent en raccourci toute l'année qui s'ouvre. Ils en présentent en miniature tous les événements et c'est bien pour cela que, dans ce temps concentré et immobile, on consulte fiévreusement les oracles.

Enfin, comment ne pas reconnaître dans ces festins et cadeaux, dans ces jeux d'inversion du sexe et du

Fixées dans le temps chrétien, les *calendae januaris* restent un îlot de paganisme. Césaire, évêque d'Arles au VIe siècle, les sermonna. Les Arlésiens préféraient la réciprocité des étrennes à l'apparente gratuité de l'aumône. Ils entraînaient même les prêtres auxquels Césaire recommande : «Ne tolérez pas qu'ils viennent en cortège, devant notre église, déguisés en cerf, en petite vieille; ne leur donnez pas d'étrennes, blâmez-les, corrigez-les et, si vous le pouvez, empêchez-les.»

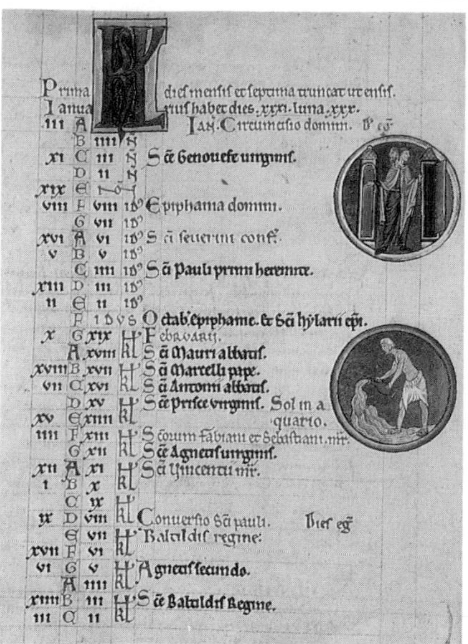

rang, dans ces lectures du sort, quantité de rites et d'observances que l'année païenne dispersait des saturnales à l'Anna Perenna ? Dans cette perspective, les calendes de janvier, même s'il convenait de combattre leurs débridements orgiaques, avaient pour effet d'arrimer dans un temps bien balisé le surgissement du démoniaque masqué. Et puis, non seulement les anciens dieux romains et romanisés grimaçaient sous ces faux visages, mais aussi ceux des civilisations conquises : si le déguisement en cerf revient si souvent dans les pays qui furent celtiques, c'est bien parce que le dieu Cernunnos arbore au front ces bois que chaque année renouvelle. Les calendes prirent donc le risque, quand l'année recommence, de piéger les divinités que le Christ avait reléguées aux Enfers.

L'année nouvelle chrétienne, ici dans le psautier d'Ingeborge de Danemark, a opéré un syncrétisme très efficace. Janus au masque double ouvre et ferme les portes. Le signe du Verseau est toujours là. Conduits par l'étoile, les prêtres-mages de Babylone rendent l'hommage des rois païens à l'enfant Dieu, doté de fabuleuses étrennes. Bède le Vénérable, au VIIIe siècle, pronostique les heurs et malheurs de l'année à venir selon la place de Noël dans la semaine. Quant aux mascarades anciennes, le Christ, *sol invictus*, «soleil invaincu», les a repoussées dans l'ombre.

Ils sont trois, sur cette enluminure du psautier de Saint Louis : le scribe inscrit, l'astronome observe, le computiste exhibe sa table qui révèle la date de Pâques et celle du carême-entrant. Trois moines qui mettent en œuvre le plus haut des savoirs, celui qui les oppose aux rabbins qui fêtent aussi Pourim et Pessah mais en guettant le seul décours des lunes.

Les origines mystérieuses du carnaval

Reste une dernière énigme, la plus résistante sans doute : si l'on sait bien que toute une moitié orientale de l'Europe a conservé ses masques des Douze Jours et maintenu la réfection du temps introduite par les calendes de janvier, pourquoi et comment les trois jours avant le carême ont-ils été à leur tour consacrés à ce même surgissement, donnant naissance à notre carnaval ?

On peut voir là une alternance à l'intérieur du calendrier dédoublé que le christianisme s'est donné. D'un côté, Noël et toutes les fêtes de la Vierge sont fixes dans l'année solaire. De l'autre, Pâques dépend de la première lune de printemps. Sa date mobile conditionne la série des fêtes qui la précèdent et la suivent. Cette dualité avait une raison : la pâque chrétienne ne devait en aucun cas coïncider avec la pâque juive, ce qui serait arrivé de temps à autre si sa date avait été fixe. Le sabbat des masques ne pouvait donc trouver place que sur l'un ou l'autre des versants du comput, à condition de rester dans la longue période d'hiver que les rites païens ponctuaient.

La création du carême, qui précédait le baptême massif des catéchumènes, sa fixation tardive – au VIIIe siècle – à quarante jours,

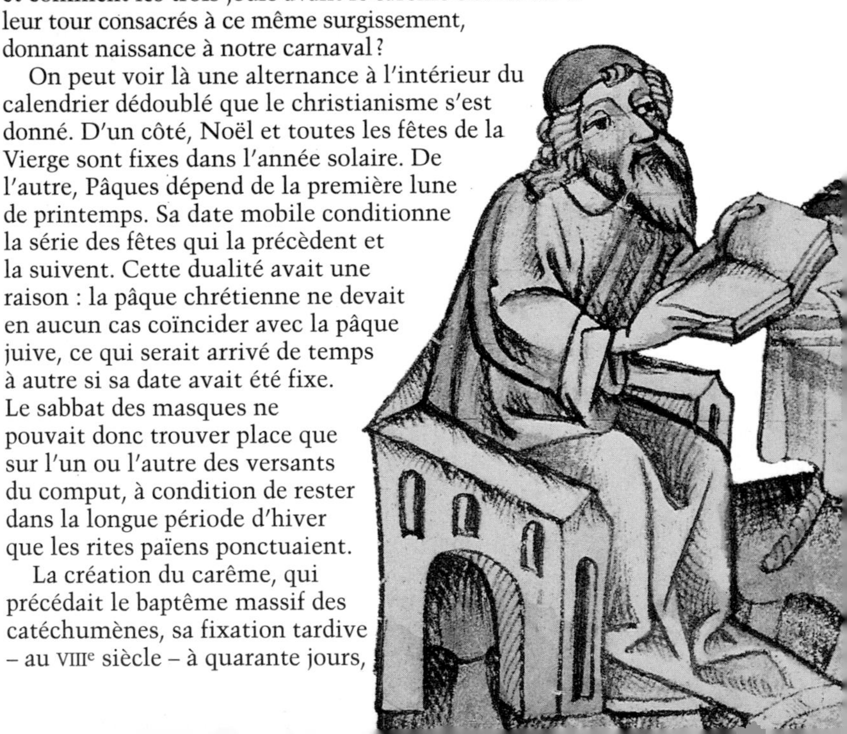

ont sans doute suggéré l'emplacement de la période cathartique du carnaval. Mais cet enfermement temporel n'a jamais pleinement réussi.

Au-delà des calendes comme du carnaval, il a bien fallu concéder d'autres espaces à cette fête aussi inquiétante que nécessaire. Dans les pays celtiques, le 1er novembre, fête de Samhain, voit, la veille, sortir les masques funèbres de Halloween.

Ailleurs, ils hantent les semaines qui précèdent Noël, se fixent sur les fêtes des saints – Nicolas, Etienne, Antoine, Blaise… – dont les vies légendaires et les images entrent en résonance avec les figures et les pratiques carnavalesques. N'incarnent-ils pas le maître du royaume fertile de l'envers ?

Sous le soleil rayonnant et le croissant lunaire, le roi de janvier fait bombance entre deux troncs effeuillés. A la manière des vieux computistes, il marque d'une lettre les jours de la semaine mais, en cette fin du XVe siècle, l'almanach est passé de la sphère des grands clercs à celle des humbles bergers. On leur prête désormais tout le savoir ancien sur le comput, le compte des jours et des fêtes. On les associe plus que jamais à la liturgie de la crèche mais on les retrouve aussi sous les peaux de chèvre et les cornes de bélier des êtres qui courent, en carnaval, chargés de grelots et de sonnailles. Car l'homme sauvage, comme l'ours, sait le temps, le ressent, le rythme, et chante quand il change.

Vers l'an mil, la mise en ordre définitive du temps chrétien marque une coupure alimentaire entre périodes grasse puis maigre. C'est alors qu'il faut «laisser la chair», l'«enlever» des tables. Pour signifier cet adieu, les clercs latinistes ont forgé à leur propre usage un *carnisprivium*. En France, le nom de cette période correspond au début du carême. Quant aux pays germaniques, ils choisissent de la désigner par le jeûne, *fast*, qui conduira jusqu'à Pâques.

CHAPITRE II

CARNAVAL DES CHAMPS

Avant carême, on récure poêles et pots, on élimine la moindre trace de graisse ou d'huile, on passe de la replète *Kermesse* de Bruegel de Velours aux corps décharnés de la *Chronique de Nuremberg* (1493).

En Europe occidentale, les XIe et XIIe siècles sont la grande époque de remodelage des espaces. On ne vit plus dans des terroirs itinérants, dans des cabanes dispersées, dans des clairières mouvantes au cœur de la forêt, de la garrigue ou de la lande. Un peu partout, les villages surgissent, serrés autour de leur église et du cimetière voisin qui fut souvent le premier asile des hommes dans ces siècles tumultueux. Ce monde qui s'enracine et se délimite, communauté par communauté, seigneurie par seigneurie, met en place d'un même mouvement les rites qui renouvellent cette emprise sur le territoire local.

Les Rogations de mai, ces processions qui vont bénir sur place les différents fruits de la terre – blés et vignes, jardins et vergers –, sont implantées au VIe siècle par un évêque auvergnat. Sur un mode différent, les carnavals ruraux abondent aussi en gestes qui donnent sens à l'espace commun, en marquent les différences internes et les frontières, en favorisent magiquement les productions. Pendant des siècles, la fête des champs conservera cette tonalité bien à elle, perpétuant l'ancienne forme médiévale.

Entre Noël et carnaval, les kermesses (ci-dessus, *La Kermesse d'Hobocken* d'après Bruegel l'Ancien), et les noces, dont Bruegel d'Enfer a peint le cortège (page de droite), se multiplient.

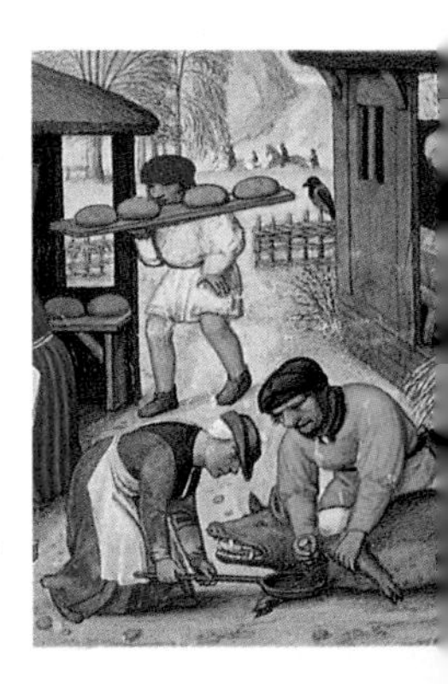

Manières de garçons

Si l'on peut rarement désigner la date précise qui ouvre le temps carnavalesque, on sait, du moins, définir à coup sûr la saison où les masques «traînent» : elle coïncide avec les tuées du cochon et s'ouvre donc en décembre, selon les imagiers médiévaux. Dans la nuit, dans la neige, des garçons se hèlent, une bande se forme. Il suffit de noircir à la suie son visage ou de le cacher sous une étoffe tissée lâche, de s'engoncer dans un sac ou, simplement, de mettre à l'envers ses habits, coutures apparentes; d'autres préfèrent se glisser dans des vieilles robes de femme. En pays de Sault, dans les Pyrénées languedociennes, quelques-uns ont conservé la tête du porc tué chez eux, ils en ont détaché la peau, épaisse et soyeuse, pour s'en faire un groin, la *careta*. Dans les vallées du Comminges, on préfère la cagoule en peau de lapin, trouée seulement pour les yeux, les narines et la bouche.

Ainsi métamorphosés, les jeunes gens parcourent de longs trajets dans les nuits de pleine lune. Ils vont même jusqu'à passer dans l'autre vallée, en traversant la forêt, en sautant de roche en roche par des raccourcis dangereux. Rôder ainsi entre les terroirs, «faire la ronde» comme on dit en luchonnais, est le propre du *jovent*, de la jeunesse masculine, des *bacheliers*, selon le français médiéval. La bande s'approche d'une ferme, dans un village ou à l'écart; les jeunes gens s'avancent à pas feutrés jusqu'aux rais de lumière et là, d'un coup, éclatent les «Hou! Hou!»

La semaine grasse est le nœud d'une période qu'inaugure un rite : la mise à mort du cochon (page de gauche, en bas). Ce jour-là, hommes et femmes élaborent les «trente-six saveurs» d'une chair, dont la consommation scandera l'année tout entière.

et tombent dru les cailloux sur le bois des volets et des portes, sur les ardoises du toit. Il arrive qu'un tambour à friction, un *bramebœuf* – tonnelet sans fond dont la bouche est tendue d'un cuir de mouton, un fil poissé coulissant en son centre –, fasse entendre ses meuglements, la terrible voix des masques. A l'intérieur, les filles tremblent. A peine entrés, ces êtres sans nom les poursuivent, quêtant un baiser, puis ils se murent dans le plus obstiné silence. «Qui c'est celui-là ? – C'est Untel, je le reconnais», mais le visage de suie ou de fourrure reste impassible, mange crêpes ou beignets, boit du vin sans dire un mot. Pendant toute la saison, ces invasions alternent avec des expéditions plus

C'est la maison du goinfre – peinte ici par Jérôme Bosch – que les garçons aiment à piller : saucisses et andouilles, gâteaux et vin dont ils emplissent des tonnelets.

furtives : celle qui dérobe le coq que l'on partage dans la nuit de Noël entre garçons; celle qui tranche le filet du cochon qui s'égoutte, tête en bas dans l'étable. L'un et l'autre seront rôtis dans une cabane secrète ou au cabaret du village, ce lieu neutre qui accueille «chats rôdeurs» et «renards à deux pattes».

Entrée en scène des masques justiciers

Après plusieurs semaines de ces errances nocturnes et quémandeuses, de veillée en veillée, le final du carnaval, qui coïncide avec mardi gras ou mord sur le mercredi des Cendres, inverse ces manières juvéniles. L'autorité est alors ouvertement concédée aux masques. Aussi exercent-ils ce jour-là leurs prérogatives judiciaires. En pays de Sault, les mauvais coucheurs dont on dénonce l'avarice et le moralisme voient leur maison assaillie et doivent étancher la soif de la jeunesse. Dans la montagne de Luchon, la bande chasse ceux qui osent travailler ce jour-là. On les saisit au champ, au jardin ou sur l'échafaudage, on les juche sur un âne, on les promène dans les rues et encore doivent-ils payer à boire. Quant aux filles qui se risquent hors des maisons, elles sont prises, jetées dans une toile de sac, bernées, leur derrière appliqué sur une pierre ou un sabot.

C'est aussi ce jour-là que le mannequin qui incarne carnaval fait son entrée dans le village. On l'a modelé dans une maison inhabitée ou dans une de ces granges de montagne qui, en Comminges, sont la demeure des bêtes. On l'accompagne en chantant, les masques paillards l'escortent parfois sur un char

Le mot «masque» est une énigme étymologique. Il apparaît pour la première fois dans un texte du haut Moyen Age lombard, l'édit de Rotari (643), où il est équivalent du latin *striga*, «goule», «sorcière». Dans une étude célèbre, Karl Meuli en fait un terme indo-européen : le *mask* serait le filet dont on enveloppait les morts. Selon Johannes Hubschmid, il désigne la suie, le fantôme noir, l'apparition démoniaque puis, à partir du XIIIe siècle en Italie du Nord, le faux visage.

débordant de paille. C'est leur triomphe : ils s'affichent en plein jour ; autour de leur roi, ils entraînent jeunes et vieux, enfants et femmes ; ils ne courent plus les marges, ils les installent au cœur de leur communauté qu'ils illustrent parfois ce jour-là dans de féroces assauts contre les voisins devenus étrangers.

Dans l'Ouest français, la soule, ce jeu de balle où tout est permis et dont le terroir tout entier est le terrain, offre l'occasion de tonitruantes batailles de mardi gras. Quant à carnaval, sa tournée accomplie, il est brûlé près de la rivière ou non loin du mur de l'église, après un jugement qui révèle toutes les avanies, tous les intolérables excès qu'a suscité son règne hivernal. Quand tombe la nuit, les faux visages flambent dans le bûcher du roi autour duquel la dernière ronde se lamente sur un air de cantique, un chant de la Passion du Christ que reprendra Pergolèse : «*Adiu paure Carnaval / Tu t'en vas e ieu démori / Per manjar la sopa à l'al* – Adieu pauvre Carnaval / Tu t'en vas et moi je reste / Pour manger la soupe à l'ail.» Carême est là pour une quarantaine.

Au centre d'un célèbre triptyque de Jérôme Bosch (achevé en 1485), ce sont des masques, des démons – mi-poisson, mi-oiseau, mi-singe... – qui tirent le char de paille, le char paillard. Il entraîne dans son sillage tous les états de la société, il sème sur sa route tous les péchés capitaux.

Processo e Confessione de squaquarante Carneuael.

Mais, tout comme carnaval qui subit, après un règne de débauche, le châtiment des infâmes – le voici pendu sur ce bois gravé florentin –, le char de l'humanité, surmonté des amoureux tiraillés entre ange et démon, ne pérégrinera qu'un temps : entre la chute, premier volet du triptyque, et l'enfer, troisième volet. Car le seul et vrai règne est celui du Christ – mort et ressuscité lui aussi –, qui contemple depuis le ciel la frénésie des hommes.

Jheronimus bosch

Il y a, à première vue, quelque paradoxe à associer si fort le carnaval et la mort. Bruegel l'Ancien, tout comme Jérôme Bosch, a su mettre l'accent sur la complexité du thème. D'abord, comme dans ce terrible *Triomphe de la mort* (1566), buveurs et joueurs, banqueteurs et amoureux, musiciens, gentilshommes et soldats ne peuvent s'opposer aux hordes squelettiques qui les poussent vers l'immense piège; ainsi toute fête évoque-t-elle son envers. Mais, dans le carnaval, la relation est plus intime, plus centrale encore; qu'il prenne pour référence la «danse macabre» italienne et française ou la victoire de la Mort à cheval, selon le modèle allemand, le défilé des masques suscite toujours la fuite éperdue, la peur panique devant le danger inconnu et inconnaissable, l'immédiate épouvante «face à ce qui se dérobe». En Sicile, pour la *Befana*, l'Epiphanie, ce sont les défunts qui portent les cadeaux aux enfants; on leur laisse sur la table quelques victuailles car ils sont toujours affamés, mais malheur à celui qui chercherait à voir leur procession nocturne; il serait aussitôt pris, entraîné dans leur mouvement sans fin.

Les voix de l'au-delà

Les masques parcourent les frontières sauvages et ils en reviennent avec ces apparences de bêtes : renards et loups, ours et rapaces. Mais ces espaces sont aussi

hantés par d'autres êtres, invisibles ceux-là : les âmes qui, sur terre, attendent ou accomplissent leur pénitence. La nuit, les jeunes masques fréquentent ces esprits. Ils en portent l'empreinte et en adoptent l'allure. Ne les voit-on pas le visage caché sous la cape de deuil, le corps enveloppé du linceul des fantômes, aussi silencieux que les apparitions, ou bien parlant de cette voix de fausset qui n'est pas la voix des vivants ? Dans les veillées où on les attend, on les nomme «peurs», terme qui, dans l'Est pyrénéen, englobe les revenants, les masques qui les jouent et le terrible sentiment que leur arrivée suscite.

A Majorque, on fête saint Antoine en se vêtant de velours rouge et en s'affublant d'une queue où pend une clochette comme au cou du cochon.

Sous la gouverne de saint Antoine

Plus souvent peut-être, le carnaval fait place aux âmes par des voies moins directes. Dans les hautes vallées de l'Andorre, cet accueil saisonnier est placé sous la gouverne de saint Antoine abbé, patron des animaux domestiques et, singulièrement, des cochons. Le 17 janvier, au matin de sa fête, a lieu devant le porche de l'église la mise aux enchères de pieds de porcs salés offerts par chaque maison. Le produit – élevé – de la vente servira à dire des messes pour les défunts en attente. Cette relation se déploie sur un double registre. La légende du saint d'abord nous présente Antoine comme un jeune homme descendu aux Enfers pour tromper le diable. Le destin du cochon ensuite si sensible aux tracas des âmes qui sollicitent les survivants.

La fête andorrane, qui a ses répliques en Espagne, en Bretagne, en Italie et jusqu'en Lettonie où Tönnies est le patron des cochons, nous éclaire aussi sur les effets attendus de cette visite des morts en temps de carnaval. On ne doit pas brûler le petit os de la patte ni le donner au chien ; certains l'enfouissent dans la loge du porc comme semence de la bête à venir. Ainsi, par la médiation

Fauvel, dans le roman du même titre (vers 1330, page de gauche), est l'«hypocrite». Son mariage caché avec Vaine Gloire lui vaut un charivari : les masques ont inversé leurs habits et tapent sur une batterie de cuisine ; un géant à cheval, conduit leur *mesnie*, ou bande, celle des morts vengeurs.

d'Antoine et de son cochon, les âmes ont-elles reçu assistance et, en échange, non seulement elles ne viendront plus tourmenter les porcs, mais elles leur permettront aussi de croître.

N'est-ce pas la même puissance qui est captée lorsque le saut au-dessus du bûcher de carnaval fait, dit-on, pousser aussi haut le chanvre, ou lorsqu'un brandon est emporté dans les vergers pour garantir la beauté des fruits ? C'est bien pour cela que, malgré la terreur qu'ils inspirent, les masques, comme les morts, doivent être accueillis car il y va de la vie des maisons.

Filles ou garçons ?

Lors des descentes nocturnes des bandes, les jeunes filles se serrent autour du feu pour échapper aux embrassades intempestives des garçons masqués ; elles sont balancées sans ménagement dans une toile, «machurées» de suie et, dans son jugement final, le tribunal n'oublie jamais leurs plus discrètes inconduites. Quelques-unes peuvent se glisser dans la bande anonyme des masques mais elles ne s'y révèlent jamais comme filles. C'est là une audace qui les distingue des autres. La pire insulte consiste à traiter de «carnaval» ou de «renarde» une femme

Dans le carnaval des Pyrénées catalanes, on avait coutume de jouer *el casament tremblant*, le «mariage à tout casser». Dans les Flandres de Bruegel, c'était la noce ridicule, qu'il baptise de *Mopsus et Nisa* comme Virgile dans la huitième églogue, appelée ailleurs de *Bolikana et Marcolph*. La scène est jouée par des jeunes gens; fagotés grotesquement, précédés d'une grinçante musique, ils trimbalent de ferme en ferme et jusqu'au château d'où on les chasse, une hutte de toile où la fiancée prend ses ébats. Chemin faisant, le petit garçon quête des sous dans sa tirelire.

alors que ce sont là titres de gloire pour bacheliers. La «ronde» des masques, la parade du roi-Carnaval écartent d'autant plus les filles qu'elles impliquent leur capture et donc leur résistance, leur fuite, leurs cris...

Mais cette différence entre l'un et l'autre sexe se renverse dans les régions d'Europe où un moment du carnaval est placé sous l'autorité féminine. Ainsi, dans la moitié nord de l'Espagne, le 5 février, jour de la Sainte-Agathe, patronne des nourrices, les femmes mariées prennent le pouvoir dans leur maison et dans la rue. Sous la conduite de ses dignitaires – maîtresses et majordomes, leur confrérie fait sa fête,

Après la panse, la danse, mais l'on ne danse au village que lorsque, masques abandonnés, les deux sexes se distinguent.

«Il est des femmes dont l'appétit est insatiable et qui en veulent plus que leur mari. Si le mari n'est pas assez prudent et qu'au départ il se laisse museler, elles veulent porter les culottes et gouverner. Elles lui font laver même les plats, les bassines et les écuelles, frotter les chaudières et les poêles.» Tel est pour Cesare Croce le «monde à l'envers», *Il Mondo alla rovescia* (1605). Les femmes y mènent la danse. Ce privilège, toujours concédé aux *vetulae*, aux anciennes que représentaient parfois les masques, peut donc s'étendre, pour une journée, à toutes les épouses, à toutes les mères mais, en principe, jamais aux jeunes filles qui sont vouées au rôle de proie.

paie ses musiciens, danse au cours de ses bals et parfois court masquée. Malheur au mari ou au jeune homme qui oserait contrevenir à cet ordre d'un jour. Les «agathes», *aguedas* comme elles se nomment parfois, auraient tôt fait de le chasser à coup de pinçons et d'épingles. Leur autorité est absolue. Il arrive même qu'elles recrutent pour les servir – les filles servantes étant libres ce jour-là – quelques hommes célibataires qu'elles nomment les «bourdons», car le village se met à ressembler à la société des abeilles.

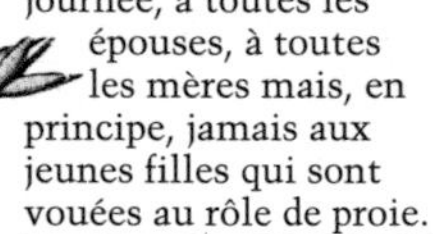

Dans le nord de la Grèce, en Thrace et en Macédoine, ce triomphe féminin a lieu le lendemain des Douze Jours, le 8 janvier, jour de la *babo*, de la vieille (en fait de la sage-femme), de la matrone qui, au village, met au monde les enfants. C'est dans sa maison que les femmes mariées accourent, vêtues de leurs plus beaux atours, accompagnées de deux musiciens, les seuls hommes admis. Là, elles confectionnent les objets essentiels du rite : un sexe d'homme – poireau, charcuterie, glaise ou bois modelés – et un sexe de femme – peau de bête fendue. Avant le repas

commun, on les cajole en mimant leur conjonction. Puis les femmes, travesties en hommes, masquées ou non, envahissent les rues, attaquent tous les mâles qu'elles rencontrent, leur font sauter le chapeau, les arrosent, les maltraitent. Pour finir, on mange autour de la *babo*; ces rites l'honorent chaque année, en favorisant conceptions et accouchements.

Dans le noble bal du Livre du champion des dames de Martin Le Franc (XVIe siècle), les musiciennes gouvernent les danseurs.

Les garçons enceints

Même quand l'inversion n'a pas cet éclat, les mères n'en sont pas moins présentes dans la coulisse du carnaval. Elles attisent les feux, apprêtent et mitonnent toute la cuisine grasse. Car les masques ne se contentent pas du coq et de la longe de porc dérobés et rôtis à même la flamme. Ils mangent aussi des ragoûts de fèves, des *millas* et autres *polentas* relevés de viandes, et toutes sortes de gâteaux et pâtisseries propres au carnaval, le tout arrosé de vin chaud. Les repas sont interminables, ils s'étirent sur le jour et la nuit jusqu'aux batailles finales – coups de crêpes et jets de crème – où l'on dilapide les restes, où l'on dit vraiment adieu à la bonne chère.

Ces nourritures longuement préparées, les garçons se les approprient ; elles ont sur eux un effet extraordinaire. Elles gonflent leur ventre, elles déclenchent un jeu lourd de sens. Certains masques, en effet, ne se contentent pas de revêtir l'apparence de femmes, ils miment aussi la gestation, la mise au monde puis l'allaitement d'un bébé braillard et avide qui n'est autre que l'un d'entre eux. Tout carnaval fait, à un moment, cercle autour de cette famille des mâles, toujours sale et vagissante.

Cette aventure du garçon enceint, décomposée en autant de saynètes, ressasse un thème que cette fête rend explicite, celui de la reproduction des hommes entre eux, par la simple ingestion de nourriture flatulente qui emplit le ventre et donne naissance à l'enfant de carnaval.

Un rite de transformation

A côté de l'exploration nocturne des marges sauvages et du territoire des morts, il y a donc aussi cette prise de possession du pouvoir de se reproduire. Chacun des jeunes acteurs du carnaval explore plus ou moins intensément ces trois limites. Par là ils se métamorphosent, deviennent des garçons achevés, policés et mariables. Car ces expériences aboutissent toujours à la courtoisie raffinée.

Certains scénarios carnavalesques narrent par le menu cette transformation. Ainsi, les fêtes de l'ours des Pyrénées catalanes, ces «jeux honteux avec l'ours» que des prélats condamnent depuis le VIIIe siècle, ne sont-elles pas le récit d'une domestication idéale ? L'ours, un garçon déguisé, est capturé dans la forêt parce qu'il aime trop les filles des hommes mais, balourd comme il est, il ne peut que les ravir de force et les violer, produisant ces sauvages créatures qui courent les veillées. Au terme de la parade qui le fait danser en musique par les rues, il est rasé, débarrassé de sa pilosité et de son désir débridé ; il ôte sa tête ursine et devient un beau jeune homme qui entre dans la danse avec la fille qu'il a choisie. Si le carnaval met en acte, sans le savoir, une mythologie complexe, le rite agit directement sur ses principaux acteurs : au fil des mascarades, il les fait changer d'âge.

Saint Joseph et le chat étaient voués à se rencontrer sur la scène du carnaval. Le premier fut longtemps, avant que le XVIIe siècle ne le célèbre dévotement, le prototype du barbon complaisant et, à vrai dire, le plus illustre des cocus. Fêté le 19 mars, il est un des grands saints carnavalesques. Quant au matou, ne fut-il pas souvent confronté à un chien dans une même cage pour rejouer la guerre des sexes. Dans le tableau de Niccolo Frangipani (1555-1600, page de gauche), un masque – saint Joseph – donne la bouillie à un enfant Jésus qui n'est qu'un chat emmailloté. Ailleurs, dans l'Europe slave, par exemple, d'autres animaux forment le bestiaire tout aussi contrasté des Douze Jours.

Non loin des villages, dans les abbayes, dans les chapitres des cathédrales, ceux qui prient, les clercs, sont au Moyen Age les garants du calendrier. Ils y disposent des fêtes et des offices, ils y inscrivent le temps collectif et d'abord celui de leurs communautés. Et ils n'ont pas oublié d'y inclure une pause carnavalesque.

CHAPITRE III

CARNAVAL DES VILLES

Les masques paysans viennent du dehors, et ceux de la ville jaillissent des maisons. Au XVIe siècle, fous de Nuremberg (à gauche) ou bourgeois de Paris (ci-contre), ils paradent dans les rues en musique.

Elle prend toujours place sur le premier versant de l'hiver, pour la Saint-Nicolas le 6 décembre, la Saint-Etienne le 27, les Innocents le 28, la Saint-Sylvestre le 31 ou la circoncision du Christ le 1er janvier. Ces jours-là, dénonce en 1182 un prêtre d'Amiens, «dans certaines églises la coutume veut que les évêques et archevêques se démettent par jeu de leurs attributs. Cette liberté de décembre – *libertas decembrica* – est analogue à celle qui avait cours autrefois chez les païens, lorsque les bergers, devenus libres, se plaçaient sur le même plan que leurs maîtres et faisaient, après les moissons, la fête avec eux. Quoique de grandes églises, comme celle de Reims, observent cette coutume, il semble plus convenable de s'abstenir d'un tel jeu».

Nicolas, Niklaus, qui ressuscita des enfants mis au saloir est, dans l'Europe germanique, le saint masqué qui conduit l'hiver. Des oiseaux nichent sur sa tête.

La fête des Fous

Nous reconnaissons là la fête des Fous qui voyait la hiérarchie cléricale s'inverser, les sous-diacres – on glosait volontiers les *diacres saouls*! – prendre la place des dignitaires et pratiquer dans le sanctuaire ce qu'Innocent III dénoncera, en 1210, comme des «jeux

insensés» – danses, sermons bouffons et cantiques à double sens, mascarades. Le déguisement des prêtres en femmes lascives était particulièrement fustigé.

La réalité de cette inversion n'est peut-être pas aussi simple. Les offices de la circoncision qui nous sont parvenus – celui de Pierre de Corbeil, par exemple, composé au début du XIIIe siècle – se déroulent comme une messe normale, si ce n'est qu'un couplet latin est intercalé entre *Alle-* et *luia*, que des chantres placés derrière l'autel doivent lancer une antienne en faux-bourdon et que l'on a introduit dans le chœur l'âne de la Fuite en Egypte autour duquel les clercs chantent une «messe» entrecoupée d'un refrain : «Hé, sire âne, chantez. [...] Vous aurez du foin assez. [...]» C'est au nom de la lettre liturgique, au nom d'un verset du *Magnificat* – *Deposuit potentes de sede et exaltavit humiles* – qui dit la «folie» du Christ, que les *Fous*, comme les enfants de chœur *Innocents*, accomplissent ce rituel qui exprime alors une théologie du rire.

Mais, loin de rester confinés dans l'enceinte de l'église, dans la durée d'un office et dans la société des clercs, ces jeux deviennent cortèges dans les villes qui

Dès le XIIIe siècle, le fou est un *esventé*, l'entonnoir à l'envers qui le coiffe laisse filer son bon sens. Deux cents ans plus tard, il arbore toujours le *coqueluchon*, une cagoule surmontée d'une crête de coq qu'agrémentent bientôt de longues oreilles, une queue et des grelots. Dans ce *Carnaval* d'après Jérôme Bosch, son habit jaune est strié de rayures qui signent son étrangeté. Son cortège suscite tous les chapeaux de carnaval : mitre d'évêque et chat dans son panier, rouet de femme et aiguière à vin... La carpe quitte la scène et Diogène part chercher des hommes ailleurs; autre folie, mais solitaire.

Au meſme temps eſt le voiſin de c'eſt homme battu par ſa femme conduict ſur vn Aſne a rebours

naissent et s'affirment, avec leurs libertés bourgeoises et leur temps renouvelé. L'âne des Fous, chargé de sa Marie parfois peu virginale, avec son escorte de diacres bramant, franchit le porche, défile dans les rues précédé d'une lanterne et, comme à Lille en 1301, conduit la foule jusqu'aux chars qui servent de théâtre. On peut supposer que l'épanchement extérieur de la fête, le relais pris par le monde profane, alliés à la volonté de «purifier» le culte, aient conduit à l'interdiction plus sévère et plus précise – le concile de Bâle en 1465 défend de s'affubler de mitres et autres attributs d'Eglise – puis à la disparition à peu près générale de la fête des Fous, autour du XVe siècle.

Entre compères

Mais, entre-temps, s'est affirmé un autre carnaval. Dans son *Parzifal*, rédigé vers 1210, Wolfram von

Eschenbach évoque au passage ces «marchandes de Dollnstein – en Bavière – qui, le soir de mardi gras, se battent en manière de jeu».

Des marchandes, une ville, voilà une situation sociale où carnaval dut se réinventer, prendre place en forme nouvelle. Certes, la jeunesse, le groupe des célibataires, reste un acteur principal de la fête ou, du moins, celui qui la vit le plus intensément, mais d'autres modes d'organisation voient le jour. Ils sont, au début, tout à fait étrangers au village, et s'y acclimateront peu à peu.

Tout d'abord, sous l'autorité de plus en plus lointaine de l'Eglise, se développe le cursus scolaire qui définit autrement la progression des âges et transforme bientôt le sens même du mot «clerc». La nouvelle société des écoliers alimente de ses propres coutumes le carnaval. Dans la moitié nord de la France, comme en Angleterre et en Allemagne, à partir de 1250, et surtout au siècle suivant, le temps du mardi gras est marqué par la joute des coqs qui désigne le roi des écoles. Ce dernier détient l'autorité dans les jeux de tous les jours; les comptines et les rondes s'en souviennent encore qui précisent : «Si le roi ne le veut pas, tu ne l'auras pas.» En outre, le jour de son accession au trône, il organise une quête de victuailles, un banquet et même, quand il s'agit des «grands écoliers» qui ont aussi leur roi, un bal ouvert à tous. Le rite, et c'est la nouveauté, est réglé dans ses

L'école (ci-dessus par Bruegel) a accueilli, plus qu'elle n'a inventé, une forme d'initiation juvénile. Dès le XVe siècle, l'apprentissage de la lettre s'est placé sous le signe des oiseaux : ne parlent-ils pas un étrange langage, ne prêtent-ils pas leurs plumes à l'écrivain ? Aussi les garçons qui apprennent sont-ils «comme des coqs». Dans la mascarade de Robert Boissart (1597, page de gauche, en bas), ils deviennent les «emplumés», avec leur panache de paon ou d'autruche et leur oiseau inversé, rapace qu'on porte (dans le dos) à la ceinture.

moindres détails car il figure dans les coutumes de la ville. Les officiers municipaux de Grenoble le font inscrire, en 1520, sur le *Livre de la chaîne* où sont couchées par écrit les libertés fondamentales de la cité. On pressent combien, dans les villes universitaires, les «nations» étudiantes – puisque les étudiants restaient groupés par collèges, selon leur origine – insufflèrent au carnaval leur incontrôlable turbulence. Ceux de Caen firent scandale en 1492 pour avoir, dans leur farce des *Pattes ointes*, traité de «pharaon avide» le roi de France qui avait taxé leur université au mépris de ses droits.

Le privilège des bouchers

Le même mouvement, qui, dans les villes, fait coïncider la coutume et l'institution, la tradition et l'histoire, a placé au premier plan du carnaval

Le *Fastnachtspiel*, le «jeu de carnaval», met en scène, dans un théâtre sans masques, les événements de l'histoire, les peurs de l'époque et, surtout, la niaiserie des paysans. Hans Sachs, au XVIe siècle, écrira plus de quatre-vingts de ces jeux. *Schembartlauf* et *Fastnachtspiel* sont donc les deux lieux où s'exhibe l'identité de Nuremberg, et la volonté des luthériens d'interdire, en 1539, la fête, se heurtera à cette évidence.

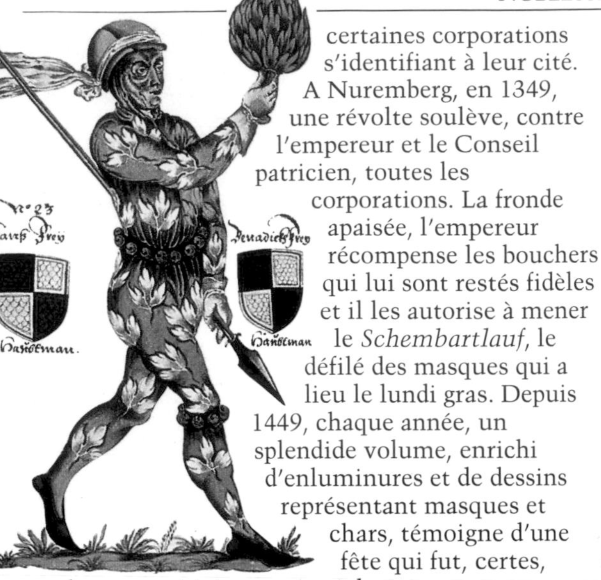

certaines corporations s'identifiant à leur cité. A Nuremberg, en 1349, une révolte soulève, contre l'empereur et le Conseil patricien, toutes les corporations. La fronde apaisée, l'empereur récompense les bouchers qui lui sont restés fidèles et il les autorise à mener le *Schembartlauf*, le défilé des masques qui a lieu le lundi gras. Depuis 1449, chaque année, un splendide volume, enrichi d'enluminures et de dessins représentant masques et chars, témoigne d'une fête qui fut, certes, rendue aux patriciens mais où les bouchers tinrent longtemps la vedette. Cette prééminence n'est pas seulement conjoncturelle. L'un des soucis premiers de l'administration urbaine n'est-il pas le marché et, singulièrement, le plus fructueux et le plus nécessaire, celui de la viande ? En dépit des règlements tatillons qui les enserrent, le privilège des bouchers s'expose par les bancs et étals qui leur sont réservés sous la halle.

Le carnaval est le moment où cette puissance s'exprime dans son dernier éclat calendaire, avant le triomphe de la carpe, du hareng et de la morue du carême. Ce jour-là aussi, une part des gains est comme restituée à la ville tout entière à qui l'on offre la fête. Le clou du carnaval parisien, aux XVIIIe et XIXe siècles, ne sera-t-il pas le défilé du Bœuf gras, paré de rubans et accompagné de violons, tambours et fifres ? D'autre part, à Paris, puis dans toutes les villes parlementaires, ce sont

Dans le premier *Livre du Schembart*, en 1449, la danse des bouchers – avec ses meneurs qui portent des flambeaux, ses chevaux-jupons qui caracolent et son mât de cocagne – est encore au cœur de la fête. Puis l'urbanité du carnaval s'affirme dans ces livrées de velours constellées de fleurs et de flammes.

les clercs de la Basoche qui, dès 1303, se constituent en société, parodient pour carnaval la scène judiciaire en plaidant des «causes grasses», font leur «montre» dans les rues et jouent des sotties et des farces. A Lyon, le *Recueil des chevauchées de l'âne*, parsemé des signatures de Coquille et Coquillart, laisse entrevoir la patte des compagnons imprimeurs qui font, au XVIIe siècle, la renommée de leur ville.

Les confréries carnavalesques

Mais, très tôt, cette sociabilité festive des métiers doit s'accorder jusqu'à se confondre avec un autre modèle d'organisation, celui des sociétés joyeuses. Leurs références dominantes sont la jeunesse et la folie, leurs noms souvent les conjuguent : Enfants-sans-souci de Paris, compagnie de la Mère folle de Dijon, Gaillardous de Chalon-sur-Saône, abbaye des Conards de Rouen, abbaye de Malgouvern de Mâcon... Ce dernier terme devient commun et se répand jusque dans les villages du Béarn qui, à la fin de l'Ancien Régime, désignent ainsi leur bande de jeunes dès qu'elle trame un charivari ou qu'elle monte une pastorale théâtrale. Du seul fait qu'elles n'existent que pour la fête et que celle-ci se confond avec leurs faits et gestes, ces confréries carnavalesques ont un double effet. D'abord elles ne cessent d'affiner l'expression du carnaval, de l'enrichir d'échos qui en soulignent les thèmes, de le

La parade de rue connaît une surprenante convergence de ces formes à partir du XVIe siècle. Quand le roi de France entre dans l'une de ses bonnes villes, on lui présente toujours l'hommage des échevins ou des consuls, des corps constitués, de la jeunesse, armée pour la circonstance et revêtue d'uniformes qui en distinguent les rangs sociaux. Entre l'accueil d'Henri II à Rouen, en 1549, avec ses musiciens que le fou exhorte (page de droite, en bas), et le défilé de l'abbé des conards en 1587 (ci-contre), les affinités sont profondes.

déployer en forme d'allégories écrites, peintes, jouées. Ensuite, et dans un sens quelque peu inverse, elles captent les nouveautés, elles privilégient les surprises, elles courent après les modes. A travers le spectacle répété de ses jeunes sots – qui accueillent parfois, comme à Dijon, tout ce que la ville et la province comptent d'hommes distingués –, la cité rayonne, assoit sa réputation sur les brillantes folies de son carnaval.

La solennité monarchique se double de bouffonnerie et la fête des confréries villageoises (ci-dessus celle des arquebusiers de Sainte-Barbe à Dunkerque) s'allégorise.

Au royaume de la conardise

Un livret de 1587 détaille les *Triomphes de l'abbaye des Conards* de Rouen pour l'année 1540, date mémorable où le Parlement avait d'abord interdit la cavalcade avant de l'autoriser. Tout commence le 30 janvier par l'assemblée du «gras conseil» où l'on programme la chevauchée vers Saint-Julien, un prieuré «situé loin de la ville de Rouen, environ quatre stades, neuf pieds, quatre pouces six lignes et demie, mesure d'abbé».

Le *Combat de Carnaval et de Carême*, peint par Bruegel l'Ancien en 1559, peut paraître énigmatique. Le premier plan est pourtant clair : un tournoi se déroule dans la tradition de la *Bataille de Caresme et de Charnage* qui apparaît au XIIIe siècle, sous forme de fabliau et qui oppose le gras Carnaval bacchique et la vieille Carême étique, le cochon et le poisson. Mais comment comprendre la multitude de saynètes qui semblent faire cortège aux deux champions ? Claude Gaignebet démontre que le tableau, en son entier et dans tous ses détails, est la représentation du temps entre Noël et Pâques, avec la succession des fêtes et des rites. Tout commence à l'arrière-plan du tableau par un feu de Noël, puis se développe vers la gauche depuis l'auberge de la Nef bleue pour conduire au carnaval. La partie droite est consacrée au carême, auprès de l'église, les processions se situant entre carême-prenant et Pâques. Un seul personnage, le fou masqué de blanc assis sur le bord de la fenêtre au centre, prend une vue d'ensemble. Il est le Christ et le peintre lui-même.

On procède ensuite à l'élection du cardinal-abbé de l'année qui doit promettre, «pour être du moule des gros cardinaux», de manger «trois fois la semaine des fèves cuites et autant de fois force raves de Limousin et de Clyon», puisqu'un bon abbé doit avoir «panse levée et joue soufflée». Cela fait, il reçoit «le chapeau avec l'habit enfariné», il est juché sur un âne et commence sa première revue.

Trente-deux flambeaux l'accompagnent. Les enfants font tournoyer leurs crécelles comme lorsqu'«ils sonnent ténèbres la semaine de Pâques». Les suppôts de l'abbé l'escortent à cheval, le bonnet de fou sur la tête, les sifflets de bois et de terre à la bouche d'où ils tirent «une mélodie diableuse». De loin en loin, le lecteur du couvent proclame l'élection de l'*abbas conardorum* par un long et beau discours en latin de cuisine, «au grand ébahissement du menu peuple». Mais la «grande montre» n'aura lieu que le dimanche gras.

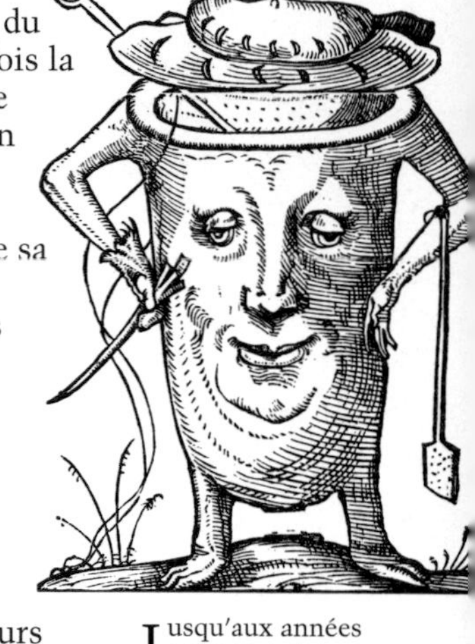

Jusqu'aux années 1630, Rabelais est l'auteur préféré des sots et des farceurs.

Les débordements du dimanche gras

«Sur le midi, devant le vieux palais de ladite ville» s'ébranle la parade des deux mille masques que suit le vaste défilé allégorique qui développe le thème de l'année. Et là, surprise! En 1540, c'est la pompe funèbre de dame Marchandise que déroulent des dizaines d'acteurs qui rivalisent, dans leur costume et leurs devises, d'invention et de richesse. Ils brandissent des bannières parlantes, ils distribuent des gloses en vers, ils incarnent les dieux païens et les prophètes, ils ressassent le malheur des temps et le trop bref triomphe du royaume de la conardise.

Le défilé terminé, on peut imaginer qu'entre l'hôtel de ville et la cathédrale il honore toute la ville en sa modernité; certaines maisons fichent sur leur façade une torche qui les signale ouvertes aux masques. Après souper, les bandes courent les demeures bourgeoises, visitent dames et demoiselles, les divertissent en jouant

des «mammons», leur offrent «des bracelets et autres bagues et fantaisies nouvelles». C'est le mardi gras que tout s'achève par un superbe festin pris «en grand triomphe» sous «la halle aux draps de nouveau bâtie, la plus belle et plus spacieuse de France». Au centre du fer à cheval des six tables, on a dressé «un échafaud pour jouer les farces, comédies et morisques [...] et dessus il y avait un personnage habillé en ermite, assis sur une chaire, lequel au lieu de la Bible lisait continuellement, durant ledit dîner, la chronique de Pantagruel».

Au long de ces règnes de conardise, nul ne put entendre tous ces messages burlesques; chaque année, à elle seule, aurait empli un volume. Le carnaval n'est plus ici un rite dont la mise en scène engage, avec plus ou moins de passion, quelques jeunes masques qui se mettent à l'épreuve, il est un univers dans lequel on s'immerge. On ne peut que capter des bribes de cet immense discours, gorgé d'intentions signifiantes, d'allusions, de double sens, qui est tout à la fois spectacle et littérature. La folie carnavalesque chaque année y déploie ses thèmes et brode à leur entour selon sa logique propre, mais la parade fourmille aussi de flèches satiriques qui visent les puissances, l'Eglise surtout, cibles à la fois exhibées et voilées, claires et obscures. Seuls les confrères détiennent les clés de ce double ésotérisme, celui de leur folie et celui de la raillerie politique.

Dans la décennie qui suit la parution de ses deux premiers livres – *Pantagruel* (1532) et *Gargantua* (1534) –, Rabelais est célébré par les conards de Rouen; douze ans après sa mort, en 1565, paraissent les cent vingt dessins des *Songes drolatiques...* qui prétendent figurer la galerie de ses personnages, dont plusieurs carêmes-prenants. Son œuvre entière est une variation géniale sur les sens du carnaval. Mikhaïl Bakhtine a montré ce qu'il devait à la facétie médiévale et à son traitement grotesque du corps. Claude Gaignebet a démontré que ce grand œuvre était minutieusement codé, en particulier du point de vue calendaire.

De la rue au théâtre

Un langage prétend pourtant à l'immédiate compréhension. Il est placé à part mais cependant au cœur de la fête, il en dit l'essentiel : il s'agit du théâtre, indissociable de l'invention multiple du carnaval urbain. Là, en effet, nous avons vu proliférer l'écriture publique. Bientôt les *Combat de Carnaval et de Carême, Testament de Carême-entrant* et autre *Jugement de Carnaval* vont devenir, en ville d'abord, le point culminant d'un rituel partout ouvert, désormais, à la composition et à la fixation écrites, fût-ce sur des canevas obligés. De fait, tous les genres du théâtre comique jusqu'à l'époque classique – la commedia dell'arte prenant ensuite le relais – ne peuvent véritablement s'entendre que replacés dans le contexte du carnaval.

De plus, les acteurs du rite, en devenant acteurs du théâtre, combinent des manières originelles de leur profession avec les rôles que la fête exige d'eux. Ainsi les basochiens et tous les clercs judiciaires ont-ils donné forme à ces «débats» et «disputes» qui illustrent le contraste, la discontinuité entre les phases du temps calendaire, les groupes sociaux, les sexes… Par ailleurs, proclamer l'autorité de la Folie implique un style de comportement et de langage, un

Quatre tonneaux, un plancher, un rideau masquant la coulisse, ancêtre de notre manteau d'Arlequin, et voici dressé le plus simple des théâtres, celui des charlatans vendeurs de thériaque, une panacée à l'égal du «pantagruélion» de Rabelais, et des farceurs de la foire, de la kermesse et du carnaval. «Farce», le mot est déjà entre théâtre et cuisine, tandis que depuis le Moyen Age, le langage «farci» mêle latin et français chez les basochiens. Quant aux pièces, elles tournent toutes autour des impostures et des malentendus de la relation entre hommes et femmes. On se trompe, on se berne, on se bat, on «se fait des farces» comme les masques en font à leurs victimes. Le public s'ébaudit pendant que les comparses escamotent les bourses.

Jérôme Bosch, de Bois-le-Duc, à douze lieues d'Anvers, entre tout jeune dans la confrérie de Notre-Dame qui, tout en assistant ses membres dans le besoin et en les enterrant selon le rite, organisait des spectacles : mystères, moralités et farces où alternaient diables et fous. Prospère, la confrérie lui passa commande de la plupart de ses tableaux, et il n'a pas trente ans lorsque, en 1480, il achève le triptyque dont cette *Nef des fous* est le seul volet sauvé. Mais, alors que Sébastien Brant et la littérature rhénane voient dans tous les hommes des fous courant au désastre, Bosch, fidèle à l'esprit évangélique, fait du fou, assis à l'écart, le seul sage de sa nef. Dans son dos, un moine et une nonne jouant au luth se disputent, avec leurs comparses avinés, un gâteau qu'ils mordent à pleines dents. Derrière, un balourd grimpe au mât de cocagne où l'on devine au sommet, dans le feuillage, le masque impassible de la chouette. L'oriflamme rose, frappée du croissant diabolique des infidèles, flotte sur ce bateau ivre.

contenu de propos que les sots, d'où qu'ils viennent, doivent donner à voir et ouïr.

Nous leur devons le délire verbal du *cri* qui appelle à la fête et de la *sottie* qui exhibe le point de vue de la Folie sur tout, y compris les plus graves affaires du monde. Entre les deux se glissent tous les types du monologue qui transposent les performances des bonimenteurs de foire et des sermonneurs d'église. La moralité elle-même, avec ces personnages allégoriques, que *Le Roman de la Rose* a consacrés, qui défilent sur les chars du carnaval et qui ponctuent les entrées royales, énonce à sa façon le jugement universel des sots et exprime leur «docte ignorance».

Un genre pourtant, le plus connu et le plus durable, semble échapper à cette relative complexité parodique ; c'est la farce, où nous sommes témoins de situations triviales, vécues par des personnages identifiés – et non plus énoncés comme le premier, second, troisième... sot –, parlant le plus direct des langages. Et pourtant, loin de nous éloigner du carnaval, nous accédons ici, par un autre chemin, à son propos principal : le rapport des femmes et des hommes, les manques et les vertus de la niaiserie, les caprices du mariage, les fonctions du corps – manger, venter, excréter –, le sens des gestes domestiques et des techniques de métier. Avec la farce, le carnaval s'illimite, échappe à la scène liturgique qu'il s'est bâtie, révèle

Dans le mot *follis* («soufflet»), on retrouve le fol, et les drapeaux de la Mère folle dijonnaise portent ces images de la lune venteuse jusqu'au XVIIIe siècle.

la présence constante des questions qu'il se pose dans tous les actes de la vie.

Carnaval disputé, carnaval révolté

L'Eglise, avons-nous vu, a chassé ses fous ; ils sont réapparus bientôt avec les confréries bourgeoises, ils seront à nouveau censurés. En 1561, le chancelier de l'Hospital rappelait aux dévots et aux juges que «le bon roi Louis XII prenait plaisir à ouïr farces et comédies, même celles qui étaient jouées en grande liberté, disant que par là il apprenait beaucoup de choses qui étaient faites en son royaume qu'autrement il n'eut su». Ses successeurs n'eurent pas toujours la même curiosité amusée. Il arriva à François Ier de faire emprisonner des basochiens «joueurs de farce» et, bientôt, les luttes religieuses du siècle allaient enrôler le carnaval sous leurs bannières adverses, rendant plus fragile encore son existence.

Les conards rouennais, la Mère folle dijonnaise eurent à souffrir des brimades, tracasseries et interdictions qu'attirait leur liberté de parole. Il est vrai que le carnaval des villes qui voit affluer les gens des campagnes environnantes, qui ouvre la rue aux masques et dont la dramaturgie s'alimente souvent de l'affrontement symbolique des compagnies et confréries, est le lieu et l'occasion des révoltes populaires comme des luttes pour le pouvoir municipal, les unes et les autres ayant, le plus souvent, parti lié.

Ainsi à Bâle, en 1529. Depuis trois ans, le Conseil de la ville se débat au milieu des luttes de faction et du conflit religieux. La pression de l'Eglise évangélique réformée est de plus en plus forte. On siège donc sans discontinuer pendant les jours gras. Le mardi, une bande de trois cents personnes, masquées sans doute, parcourt la ville sous la conduite du bourreau, homme de

Sots jouant à «pet-en-gueule» sur l'étendard de la Mère folle à Dijon (XVIIIe siècle).

l'envers et de la marge. Ils envahissent la cathédrale, brisent les statues idolâtres des catholiques, dont le grand crucifix : «Si tu es un dieu, défends-toi, mais si tu es un homme, saigne!» lui crient-ils. Dans le même temps, on prend l'hôtel de ville et le Conseil affolé décide d'autoriser le culte nouveau tout en promettant au peuple une vie meilleure et une part de pouvoir.

Peu de temps après, ces masques révoltés seront victimes de l'ordre qu'ils contribuent à instaurer sans le savoir vraiment. Ils poussent jusqu'au sacrilège la critique carnavalesque mais la loi nouvelle sera plus dure que l'ancienne à l'égard de leur Folie. En abolissant, dès les années 1530, le carême, la Réforme n'espérait-elle pas emporter avec lui les «débauches» des jours gras?

Avec les réformes s'ouvre la saison des carnavals où la fête flamboie comme l'apocalypse et devient aussi turbulente et fatale que ce *Jugement dernier* de Fra Angelico (ci-dessous). Ce n'est point seulement affaire d'opportunité, d'impunité sous le masque mais de conviction collective : le drame de carnaval peut basculer vers la fin du monde et le triomphe des justes puisque c'est là la seule «histoire» dont on attend la venue. Aussi la Ligue peut-elle, à Paris, processionner masquée (à gauche).

Le bûcher des vanités

L'offensive avait été plus directe quelques années plus tôt, à Florence. Savonarole y prêche une purification de la religion et de la ville, et il a, de fait, pris le pouvoir. Dès 1496, il enrôle les enfants et les jeunes gens dans des processions pénitentielles où les rues sont ponctuées d'autels avec crucifix et cierges allumés; ils remplacent les *capanucci*, les grands feux sur les places autour desquels, pour carnaval, des batailles de garçons faisaient rage.

De ces vastes bûchers Savonarole n'en gardera qu'un. Pour le 4 février 1497, jour du mardi gras, il fait bâtir une immense pyramide de bois, en forme de tour de Babel, avec quinze marches de la base au sommet, chacune portant une catégorie particulière de «vanités». Jeux de cartes, recueils de musique profane, fards et parfums féminins, livres de poésie, masques, fausses barbes et costumes, peintures et sculptures ont été collectés dans les palais et les maisons par les garçons, l'infanterie du nouveau royaume du Christ. Au sommet du bûcher trône le prince des vanités, un carnaval difforme et monstrueux. Son immolation illumine la nuit florentine, mais l'année suivante, à la fin du mois de mai, les mêmes flammes consumeront le réformateur. Comment ne pas lire dans cette fin une revanche du prince de la Folie un temps déchu? Toute l'histoire des relations entre carnaval et pouvoir est faite, sur un mode mineur sans doute, de pareils revirements et c'est dans de tels affrontements, fête contre fête, qu'il retrouve sa verdeur.

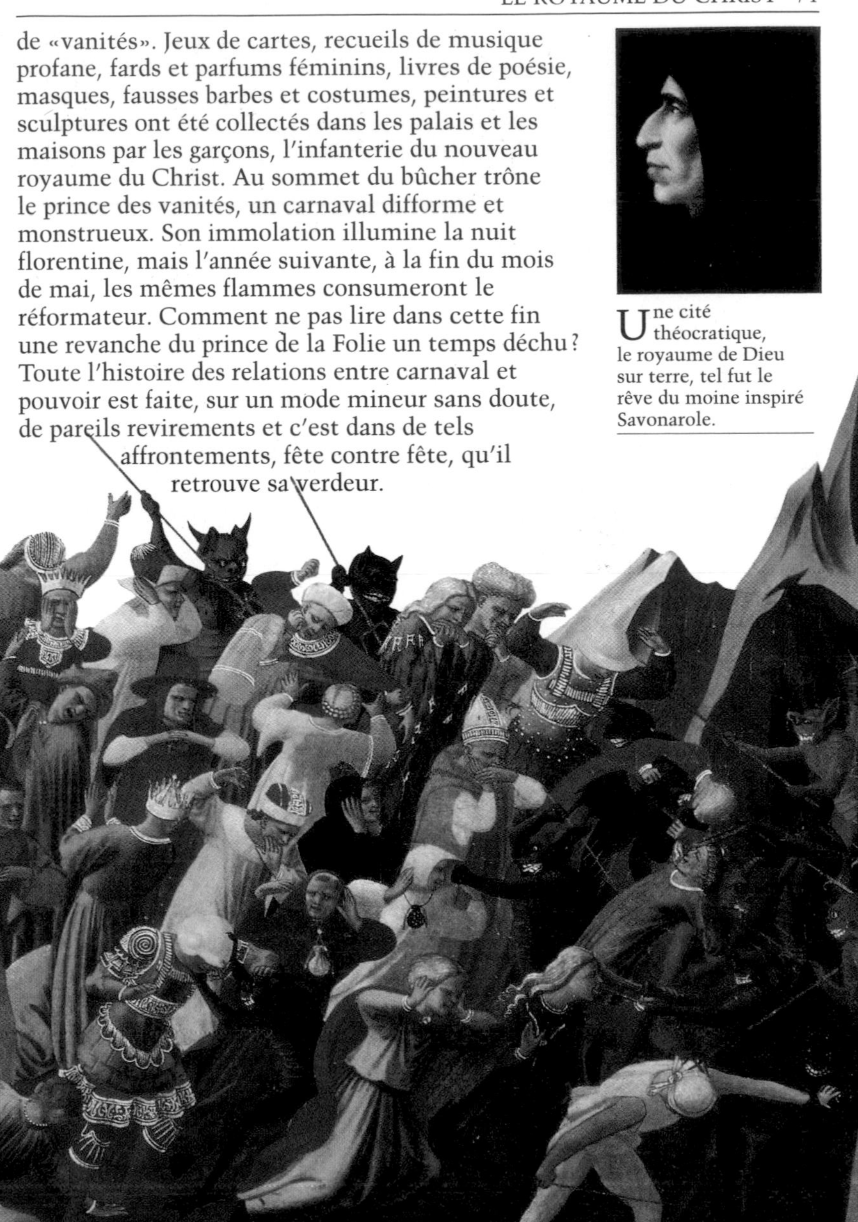

Une cité théocratique, le royaume de Dieu sur terre, tel fut le rêve du moine inspiré Savonarole.

En Toscane, dans la seconde moitié du *quattrocento*, Laurent de Médicis, dit le Magnifique, non seulement participe activement au carnaval mais travaille à son exaltation. Déjà, les jeunes des grandes familles courent la ville, magnifiquement costumés ; ils forment des compagnies – *Brigata della Galea*, *Brigata del Fiore*... – revêtues de livrées qui, comme les blasons, jouent des alternances de couleurs ; ils donnent des bals sur les places et offrent le *berlingaccio*, le banquet du dernier jour.

Puis, vers 1470, la fête s'amplifie d'un immense cortège où les *trionfi*, chars mythologiques conçus par les plus grands peintres du temps, voisinent avec les *carri* qui proposent la galerie des métiers et du monde à l'envers.

Prince des peuples et prince des sots

Chacun de ces tableaux mobiles a sa chanson, composée pour la circonstance. Là aussi sont requises les meilleures plumes : Machiavel en rima de célèbres et Laurent de Médicis aussi. Car, pour lui, carnaval n'est pas un divertissement éphémère et sans conséquence. Il ne devient véritablement prince, il n'accède à son vrai et unique royaume que dans cette fête de tous. Ce ne sont pas seulement les allégories des trionfi qui l'inspirent mais aussi les scènes burlesques et autrement audacieuses des carri populaires.

« Toutes choses vont à l'envers, / Tout ce qu'on peut imaginer ; / Nous allons tels l'écrevisse / Pour faire comme les autres / Il faut porter aujourd'hui / Les yeux derrière et non devant ; / On ne peut regarder ainsi ; / Nous sommes tous ici des traîtres / Tant pis pour qui croit l'apparence / Car il est souvent démenti. [...] / Ne vous émerveillez pas / Si les dames en font autant / Chacune aujourd'hui s'évertue, Tout mois leur est bissextile / L'un succède vite à l'autre / Et ainsi toutes y viennent. »

Laurent de Médicis, (à gauche peint par Giorgio Vasari), *Chanson des visages retournés*

IL MONDO

Il chante certes *Bacchus et Ariane* ou *Les Sept Planètes* mais préfère, à l'évidence, les doubles sens érotiques de ses chansons... *Des pains d'épices* ou *Des boulangers*.

Seule la peinture mythologique ou religieuse donne une idée de l'atmosphère des carnavals de la Renaissance (ci-contre, détail du *Cortège des Rois mages* par Gozzoli). Les costumes et les chars des fêtes princières n'étaient-ils pas conçus par les plus grands peintres tels Botticelli ou Piero Di Cosimo? De ce dernier Giorgio Vasari nous décrit, dans sa *Vie des meilleurs peintres* (1550) qu'il élabora pour le carnaval de 1511, un char «d'une invention surprenante». C'était le *Trionfo della morte*. Tiré par des bœufs vêtus de noir, surmonté par la camarde une faux à la main, s'avançait un sépulcre. Les morts en sortaient à l'appel rauque d'une trompe et chantaient : *Morti siam come vedete / Cosi morte vedreur voi / Fummo giá come voi siete / Vó sarete come noi* – «Morts nous sommes comme voyez / De même morts nous vous verrons / Nous fûmes comme vous êtes / Vous serez comme nous sommes.»

ALLA RIVERSA

On ne peut alors dire que les grands offrent au peuple le spectacle de leur fête; il semble au contraire que le carnaval ait existé ici, un moment, comme un langage partagé. C'est en tout cas ce que Savonarole reprochera à celui qu'il désigne comme le corrupteur de Florence.

Le modèle italien

Cette relation intime du pouvoir et du carnaval ne s'est pas confondue, à Venise et à Rome, avec la passion d'un grand seigneur qui fut, à sa façon, le martyr de la cause festive. Là le doge, ici le pape apparaissent plutôt comme les bénéficiaires indirects d'un rite qui les implique. Dans les deux cas, un retour à l'origine ressource l'alliance de la cité et de son chef. Pour les Vénitiens, c'est l'histoire politique qui donne sens au sacrifice devant le doge, le jeudi gras, des taureaux que l'on décapite, des cochons, des chiens... Ils y lisent la soumission, acquise de haute lutte, du patriarche d'Aquilée, en 1162, puisque taureaux et porcs composent depuis lors sa redevance annuelle à la République sérénissime.

A Rome, depuis sa fondation légendaire, le carnaval n'a cessé de mettre les Juifs au cœur de ses cérémonies : d'abord, disait-on, précipités dans un tonneau du haut du Testaccio, puis forcés de courir nus tout comme les prostituées, enfin

Ci-contre, Metzetin bondissant sous la plume alerte de Callot, le peintre lorrain qui a séjourné en Toscane de 1612 à 1621. Avec son chapeau à plumes et son sabre de bois, il rejoint le *Capitan*, le *matamoros*, le *mataccin*, le fanfaron tueur d'infidèles, le *Norcino* qui, à Rome, pourchasse les Juifs un grand coutelas à la main pour les baptiser à la mode mosaïque.

lourdement taxés pour financer une fête où ils figurent comme personnages grotesques sur les tréteaux des théâtres. Le carnaval qui, papauté oblige, se déroula longtemps – ce qui surprit Montaigne – à visage découvert, est alors la scène où le christianisme illustre les raisons de son triomphe originel. Les Juifs protégés des Etats du pape doivent révéler aux jours gras ce qui fonde symboliquement leur différence d'étranger du dedans.

Dans le palais du doge, face aux conseillers à perruque, les masques nobles viennent partager le banquet qui ouvre, à Venise, la période du carnaval. Les plats évoquent parfois, tout au long des jours gras, la fête et ses mascarades. Les menus sont riches en viandes rôties. Ils portent des noms carnavalesques et s'achèvent sur des pâtisseries modelées comme des masques.

Le carnaval se parisianise

Partout les fastes de cour adoptent les manières de la péninsule. Catherine de Médicis fait venir à Paris les toute premières troupes de commedia dell'arte et Henri III s'entichera des *gelosi* qu'il invite pour le carnaval de 1577. Par ailleurs, le carnaval d'Henri III et de ses mignons consistait à courir Paris.

En Angleterre, sous les Stuart, on appelle *masquers* le ballet de cour. De 1605 à 1631, Ben Jonson, le dramaturge, et Inigo Jones, l'architecte, ont réalisé treize représentations de «cette brève splendeur d'une nuit», au palais de Whitehall. Les *masquers* – seigneurs et grandes dames en groupes de huit, douze et seize – se contentent d'apparaître parmi des acteurs incarnant des figures mythologiques et royales. L'éclatante beauté de leurs costumes, l'harmonie de leur disposition scénique et leurs gestes suffisent, mais ils doivent s'intégrer parfaitement dans ce «tout» visuel, musical et chorégraphique qu'est, selon Ben Jonson, le *masquer*. A partir de 1608, ce dernier introduit l'«antimasque» dans le Prologue du ballet : soit une bande de garçons turbulents et désordonnés, soit douze sorcières ou mégères incarnant les vices, ils s'opposent à la perfection formelle et morale des masques et ajoutent au spectacle une tension dramatique ou burlesque. Inigo Jones croquait les décors, concevait les machines et dessinait les costumes. La saison des *masquers* commençait pendant les Douze Nuits.

maison en maison voir les compagnies jusqu'à six heures du matin» et, nous dit l'Estoile dans son *Journal*, à faire «mille insolences», c'est-à-dire à bastonner les travestis que l'on croise «pour ce que le roi voulait seul avoir ce jour privilège d'aller par les rues en masque» (11 février 1584). Deux façons, l'une agressive, l'autre condescendante, de faire bande à part, à l'écart du modèle italien.

Henri III eut deux visages : celui d'un débauché, celui d'un dévot rigoriste. Ci-dessus, un bal de noces à la cour, en 1581.

Louis XIII tentera bien d'imposer au Louvre Gaultier Garguille, Gros-Guillaume et Turlupin, des farceurs français, contre le goût de sa mère, Marie de Médicis, et du cardinal de Richelieu, mais la fête à l'italienne semble portée par un courant continu. Pour le carnaval de 1647, Mazarin fait donner une comédie à machines qui démontre avec éclat le savoir-faire des ingénieurs et des musiciens romains, au grand scandale des dévots.

La même frénésie s'empare, d'Henri VIII à Charles Ier, de la cour d'Angleterre où les *mummings* traditionnels laissent place aux *masquers* à la nouvelle mode, tout pénétrés du goût français et italien que les meilleurs metteurs en scène, tel Inigo Jones, alimentent en faisant leur «tour» de disciples émerveillés dans les cités de la fête.

THE QVEENES MASQVES.

The first, of Blacknesse: *personated at the Court, at* White-Hall, *on the Twelu'th night.* 1605.

Fastes et mécènes

Du *quattrocento* florentin au XVIIIe siècle vénitien, en passant par le règne versaillais du Roi-Soleil, l'occasion du carnaval a toujours produit un flot continu de commandes qui s'adressent d'abord aux peintres, puis à des architectes du décor qui deviendront ensuite des créateurs spécialisés, de plus en plus attachés aux troupes. Par ailleurs, musiciens et poètes mettent en œuvres des fables qui, même à Venise et Florence, passeront au XVIIe siècle de la parade de rue au théâtre.

La Florence princière des Médicis s'enticha pendant un long siècle de la commedia dell'arte. Les troupes mêlaient d'ailleurs comédiens et jeunes nobles dans un théâtre qui, bien au-delà du carnaval, envahissait les réjouissances de la cour. Ci-contre, la troupe des *gelosi*, des comédiens jaloux (de plaire) dont les cinquante canevas du répertoire nous sont parvenus : Pantalone, le vieux barbon amoureux, interroge, soupçonneux, son *innamorata*, mais celle-ci tend plutôt l'oreille vers un valet masqué par son manteau. Autour du trio se tiennent les habituels comparses : un *zani* flanque Pantalone, une suivante accompagne l'amoureuse et deux *innamorati* soulèvent le rideau.

Le théâtre devient le lieu où se renferme le carnaval des nobles. D'ailleurs, la saison des spectacles, l'*anno comico*, forcément interrompue pour l'avent et le carême, connaît entre Noël et carnaval sa période la plus intense. C'est là que les nouveautés se risquent à paraître; c'est alors que, souvent, elles s'imposent.

Angelo Beolco, dit Ruzzante, entra dans la carrière le 13 février 1520, à l'occasion d'une fête donnée à Venise en l'honneur de Frédéric de Gonzague. Après la *muraria*, la momerie masquée, et le souper, on représenta devant les trois cent cinquante convives une «comédie à la villageoise» qui connut un grand succès et lança le Padouan.

De même, à Venise toujours, en 1637, l'opéra, le *dramma in musica*, sortit pour la première fois des palais pour gagner les théâtres que le carnaval ouvre au peuple et, quelque deux siècles plus tard, l'invention par Goldoni d'une comédie nouvelle, éloignée des formes du passé que défendait Gozzi, prit place, année après année, sur les scènes carnavalesques.

Mais, dans la société de cour, la fête, on le sait, change tout à fait de fonction et de sens. Elle devient, tout comme la danse, un moment de pure exhibition des rangs et des faveurs. C'est ce que notait finement Saint-Simon à propos de Versailles : «Le roi utilisait

En Italie, les masques de la commedia dell'arte sont devenus les signes de toute fête. Du théâtre ils passent au carnaval puis à la foire, au cirque et, au XVIIIe siècle à Venise, ils conquièrent la peinture qui orne les palais et les salles de bal et de jeu. La société en fête se regarde sur les toiles ou les fresques de Pietro Longhi, de Guardi et, surtout, de Gian Domenico Tiepolo. Ce dernier est fasciné par Pulcinella, le masque napolitain, à la voix de fausset, au langage étrange, tout de blanc vêtu jusqu'à la toque démesurée, pataud d'apparence mais si habile dans ses acrobaties clownesques.

les nombreuses fêtes, promenades, excursions, comme moyen de récompense ou de punition, en y invitant telle personne, et en n'y invitant pas telle autre.» Que devient la liberté, le vertige, le délire – fut-il contrôlé – du carnaval, dans cet univers où la distinction est le souci unique et où le roi règne toujours sans partage ? De cette contradiction, Molière témoigne avec force.

Les deux langages de Molière

Après l'échec de l'Illustre Théâtre, son long apprentissage provincial croise, sans doute, à maintes reprises, la diversité des carnavals à Bordeaux, à Toulouse, à Grenoble...

Venise, un carnaval permanent...

Les aquarelles de Giovanni Grevemboch présentent, au XVIIIe siècle, toute la cité de Venise sous le masque et font de la Sérénissime le théâtre d'un carnaval permanent. Nous entrons dans la boutique des *mascareri*, artisans spécialisés (page de gauche) qui moulent des masques de carton, de velours, de cuir ou de toile cirée, et les colorent. Dans la rue, nous croisons, sous son blanc visage immobile, un acrobate aux grands pieds (ci-contre) faisant mine de glisser sur l'eau. Plus loin, voici Arlequin masqué de noir (page suivante, à gauche), armé de sa batte et de son redoutable zigzag prompt à capturer les dames qui se risquent à la fenêtre. Enfin un Polichinelle (page suivante, à droite) tente les gamins avec du massepain qui danse au bout de sa ligne. En ce temps-là, l'effervescence carnavalesque confirme les costumes traditionnels, capte les masques du théâtre, invente ou consacre presque chaque année, par l'intermédiaire de la jeunesse dorée vénitienne, des déguisements étonnants, des nouveautés d'une saison.

Zane.
Piatello.

De fait, l'époque est favorable aux textes, aux poèmes, qui décrivent et accompagnent un renouveau baroque de la fête. Quand la troupe devient celle du prince de Conti, gouverneur du Languedoc, elle tourne pendant cinq années – entre 1650 et 1655 – dans une province où les mascarades d'hiver sont d'une vitalité intense. Des farces perdues et aussi *Le Médecin volant*, *La Jalousie du Barbouillé* ont recueilli l'écho de ces rencontres

Les comédiens italiens ont certes marqué Molière, mais son théâtre fait aussi place à la tradition des farceurs parisiens et des carnavals occitans. A Toulouse, les brillantes fêtes des années 1620 restaient vivantes à travers les poèmes de Goudosli; à Pézenas, les masques du mardi gras couraient derrière l'emblème de la ville, un poulain géant.

Tout semble changer avec l'installation parisienne, en octobre 1658. Le roi Louis XIV a dix-sept ans, il s'ennuie à *Nicomède* de Corneille mais s'amuse au *Docteur amoureux*; il offre alors à Molière le Petit-Bourbon. Une commande directe du roi l'invitera, en mai 1664, à participer avec sa *Princesse d'Elide* aux Plaisirs de l'île enchantée, cette fête qui «lance» Versailles et instaure ce lieu comme un univers magique où la figure du roi se dessine toujours au cœur des métamorphoses.

En 1670, juste après la longue querelle de *Tartuffe*, voici Molière sollicité à nouveau, par l'intermédiaire de madame de Montespan, la favorite, pour mettre en scène les trois semaines de divertissement carnavalesque au château vieux de Saint-Germain-en-Laye. Benserade, Lulli et le danseur Beauchamps seront de la fête des *Amants magnifiques* dont le thème a été minutieusement réglé par le souverain lui-même. Il y apparut sur scène sous les traits d'Apollon et Neptune mais ce fut la dernière fois, la dignité figée et la dévotion exhibée lui interdisant désormais le jeu des masques et des costumes.

Avec ce dernier éclat, carnaval semble définitivement annexé. Il n'est plus qu'un des épisodes de la liturgie du monarque. Pourtant, au cours de la précédente saison d'automne, en pleines chasses royales, à Chambord, Molière et Lulli avaient dû très vite écrire un *Monsieur de Pourceaugnac* qui, d'un bout à l'autre, sous le prétexte de charivariser un nobliau limousin, étale toute la verve purgative du carnaval des rues, avec ses chienlits, soufflaculs et pots de chambre. La Comédie-Française ne s'y trompera pas qui en fit, par tradition, son affiche du mardi gras. Quant au dernier carnaval de Molière, il adviendra trois ans plus tard, en février 1673. La Troupe du Roi joue au Palais-Royal *Le Malade imaginaire*, ultime comédie-ballet de Molière et Charpentier. Comme jamais peut-être, le corps toujours ouvert de l'égrotant perpétuel se confond avec celui du carnaval.

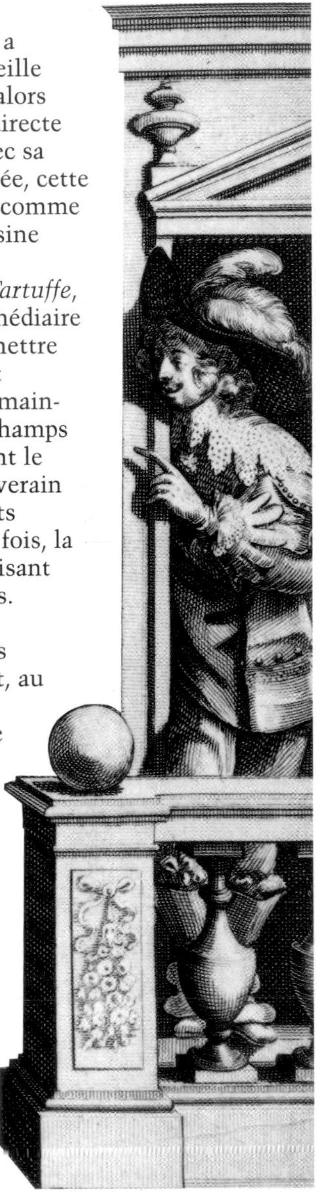

Le carnaval va alors vers sa fin, environné du ballet des docteurs que mènent Diafoirus et Purgon, grands ordonnateurs de clystères insinuatifs, préparatifs et émollients.

Tout comme l'œuvre de Molière, la fête de cour, dans l'Europe entière, fut une création paradoxale. Il est vrai qu'avec elle carnaval prit ses distances, mais il est sûr aussi qu'elle se nourrit de toutes ces formes et figures et contribua à les imposer. Les engouements de cour, à commencer par celui des déguisements à l'italienne – Arlequin et Polichinelle puis Colombine et Pierrot –, gagnent toute fête aristocratique et, bientôt, toute fête bourgeoise.

La courtisane, perchée sur ses cothurnes, doit être assistée de ses servants. La mode est alors, à Venise, au masque noir, qui va devenir, pour les femmes, un simple ovale maintenu par un bouton entre les dents. Toute dame masquée reste silencieuse.

La grande folie vénitienne

Venise au XVIIIe siècle est l'exemple parfait de cette recomposition. Bien qu'officiellement dominé par les potentats de la République décadente, le carnaval est un fond culturel à ce point partagé que le pouvoir local se soucie plutôt de bien marquer les différences. C'est lui qui a imposé aux gens de condition, hommes et femmes, le port de la *bauta* dans les lieux publics. Mais comment reconnaître les nobles authentiques sous ce mantelet, ce capuchon noir et ce masque? Quant aux nobles eux-mêmes, ils aiment revêtir le *tabarro,* le manteau écarlate des bourgeois et du peuple, pour courir les *malvasie*, *magazzeni* et *bastioni*, ces guinguettes populaires qui sont de discrets lieux de rendez-vous.

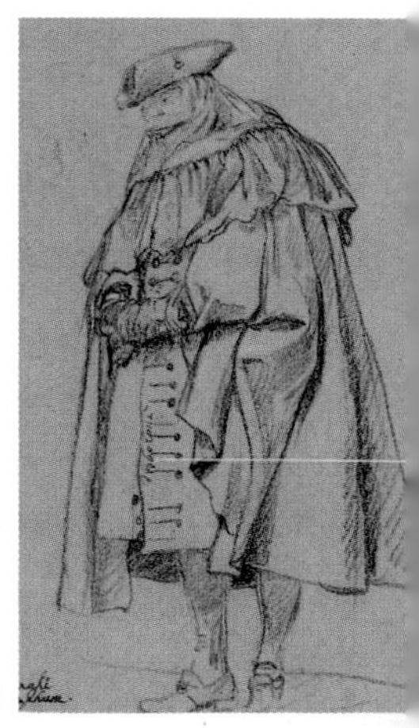

Vers 1775, le désordre est à son comble. Les espions de la police sont désorientés par ce carnaval qui dure tout l'hiver. Ils n'arrivent plus à suivre avec certitude l'aristocrate en goguette et le visiteur étranger sous les costumes qui font alors fureur. Les *gnaghe* ne sont ni garçons ni filles et parlent d'une voix suraiguë, les *tati* jouent les grands innocents, les *bernardoni* exposent les plaies hideuses des mendiants, les *pitocchi* vont en loques. Casanova importa à Milan ce dernier déguisement qui mettait en pièces de précieuses étoffes, mêlant le luxe au burlesque, les bas-fonds et la cour.

Le triomphe des bals masqués, des allégories vivantes ou animées, des chefs-d'œuvre pyrotechniques... s'est forgé dans ce creuset des modes. Depuis ce centre, il s'est répandu au point que le crépuscule des cours, à la fin du XVIIIe siècle, en abolissant un des foyers de la vitalité carnavalesque, nécessitait une réinvention dont la ville d'alors allait être le lieu.

Dans une scène peinte par Pietro Longhi, voici des *baute*. La dame a glissé son masque dans le revers de son tricorne. Elle minaude aux galanteries de celui qui est, peut-être, son sigisbée, son galant autorisé par son époux.

Par un retournement où la fête affirme sa force, les distinctions sociales resurgissent et prennent sens au cœur des carnavals urbains les plus fastueux. Quand se confrontent dans les rues du XIXe siècle les brillants dominos et les masques dépenaillés, les pimpants et les grotesques, le carnaval se nourrit de ces divisions ; en elles se rejoue l'inévitable discontinuité des temps et des mondes.

CHAPITRE V
LE RETOUR DES MASQUES

Des dominos et pierrots décadents du peintre Laurens (page de gauche) à la riche floraison des masques alpins (ci-contre), le XIXe siècle est, pour le carnaval, une période où la vitalité va de pair avec le mélange et l'antagonisme des modèles.

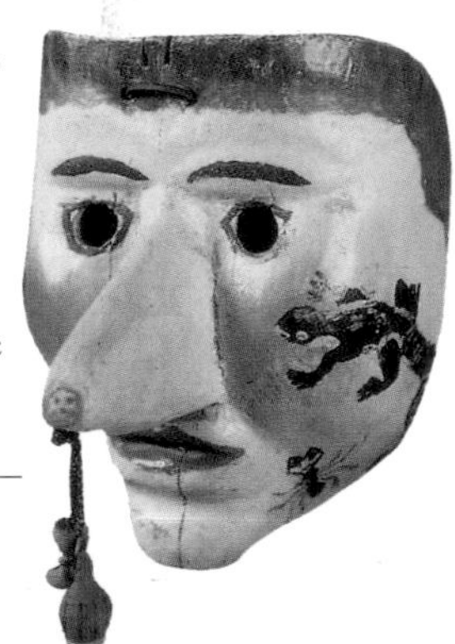

«Brandissant des bannières pas très religieuses, avec des seringues en guise de goupillons, des vases de nuit pour bénitiers, précédés d'un tambour, de clairons et de cornes», les masques, décrits par Don Pascual Mador (1847) et peints par Goya (ci-contre), processionnent vers le canal pour «enterrer la sardine». Mais celle-ci évoque son contraire : *sardina* est le nom de l'épine dorsale du porc et le peuple de Madrid lui fait sa pompe funèbre.

El Entierro de la sardina, l'enterrement madrilène de la sardine que Goya achève en 1793, saisissant, autour de l'inquiétante figure d'un masque noir peint sur une bannière, le déchaînement convulsif d'une foule sous un ciel où monte l'orage, inaugure intuitivement une période nouvelle dans l'histoire du carnaval.

Le recul de l'Eglise puis son renouveau romantique et saint-sulpicien, avec sa pugnacité retrouvée contre les superstitions et les outrances «païennes», la mise en place parallèle de l'ordre public des villes et des Etats, la peur qu'inspirent alors les «classes dangereuses», tout semble se conjurer pour refouler cette fête, pour l'interdire efficacement. Bien sûr, dès 1792, la déchristianisation révolutionnaire avait fait naître des parades d'ânes mitrés mais le culte de l'Etre suprême n'admet pas ces mascarades.

A l'autre extrémité de la pyramide sociale, la cour de la Restauration s'est remise, sous l'impulsion de quelques nobles, à la mode des bals costumés, sans vraiment secouer la pesanteur puritaine des derniers souverains.

Paris dans la rue

A l'approche des jours gras, le dessinateur Gavarni est en proie, écrit-il, à «des insomnies étranges, des démangeaisons de danser, une maladie de carnaval enfin». Le tout-Paris distingué ne partage pas cette fièvre et, sous la monarchie de Juillet, la presse bien-pensante dénonce ces foules déguisées qui descendent de la Courtille, fendues comme un flot par les carrosses et les chars tout aussi chargés de masques. Sur le parcours, on fait des *attrapes*, on cherche à berner le bourgeois : un arlequin imprime à coups de batte sur les

«Que sont devenues les attrapes d'autrefois, ces bêtises du peuple de Paris ? Ces pièces de monnaies clouées au pavé, la plaisanterie du marmot qui se faisait à tous les carrefours. On fagotait un enfant postiche ; il avait le dos tourné, le corps baissé, il semblait vouloir ramasser à terre une pomme tombée de sa main ; vous passiez, et voyant l'attitude embarrassée de l'enfant, vous ramassiez la pomme et la lui présentiez. Aussitôt vous étiez en butte à mille quolibets, plus saugrenus les uns que les autres.»

Privat d'Anglemont, *Paris anecdote*, 1862

habits noirs des silhouettes de rats passées à la craie. Les masques populaires traquent les redingotes et les crinolines, leur lancent à pleine voix des *engueulots* car le parigot des Halles, la langue que les harengères mettent en rimes pour attirer le chaland, devient le patois commun des gamins agressifs du faubourg Saint-Antoine. On imprime de petits *Catéchisme poissard* à l'usage des chienlits du mercredi des Cendres. Enfin, dans les bals qui ne désemplissent guère, on joue à *l'intrigue*, on fait sa cour sous le masque, on tente de débusquer le minois qui se cache sous ces hardes de mendigote ou ce débardeur de marinier.

Ces comportements ne rompent pas vraiment avec ceux du XVIIIe siècle – Vadé a créé le genre poissard vers 1730 et les garçons en chienlit animaient les rues sous Louis XVI. Pourtant quelque chose a changé dans le carnaval de Paris. D'abord le voilà repoussé au-delà des barrières de l'octroi. Le vin y est moins cher, les

La bande des masques, coiffés de perruques et de tricornes, certains montés à cheval – d'où le nom, devenu commun de *cavalcade* –, évoque un Ancien Régime tout à fait débridé (ci dessous la place de la Concorde, vers 1845). La fête cultive la dissonance. Les jeunes prostituées sont les fleurs du cortège; elles s'exposent en beaux atours devant des mâles braillards. L'élégant chevau-léger de l'escorte est bardé d'un énorme clystère. Les chiens, une casserole attachée à la queue, accompagnent le défilé de leur charivari affolé.

guinguettes fleurissent et, avec elles, les planchers de bal. La fête a ses hauts lieux vers Belleville, à la Courtille. On y danse le chahut et le cancan, on y court le galop dans des salles immenses où se pressent plus de trois mille masques les soirs de folie. Ensuite les femmes du peuple, marchandes et laveuses, prostituées aussi, occupent désormais une place au grand jour. En parlant poissard, la fête adopte leur langage et madame Angot devient au théâtre leur porte-parole.

Cette effervescence, parce qu'elle est tenue à l'écart du cœur de la ville, devient fascinante pour l'aristocrate et le bourgeois. Il y a certes les restaurants chics et les bals masqués de l'Opéra où la jeunesse dorée se rencontre, mais la vraie fête est ailleurs, dans les faubourgs et au-delà. En la fréquentant, un lord anglais, nommé Seymour, y gagna son légendaire surnom de milord l'Arsouille ; il montait, dans les années 1830, vers la Courtille escorté de sa barde avinée, dépensait sans compter et

Dans le secret du boudoir, on se pare pour le bal du mardi gras, le plus audacieux de l'année, royaume de la métamorphose et de l'intrigue, théâtre des jeux de l'amour et du hasard.

pacifiait les bagarres à coups de tournées générales.

Dès 1780, il semble que les autorités aient elles-mêmes répandu le bruit que la police habillait les masques et que le carnaval parisien n'était qu'un nid d'indicateurs. Cette fête faisait peur et cela n'était pas sans fondement. Le carnaval du XIXe siècle ne connut-il pas à Paris son apothéose sanglante et sa fin lors des journées révolutionnaires de 1848 ? Le 23 février, les ouvriers et les étudiants battent le pavé tout heureux de leur victoire ; ils ont contraint Guizot à la démission, ils vont réclamer les «lampions» de la fête, jusque sous les fenêtres de son ministère. Quelques-uns escortent un âne coiffé d'un bonnet phrygien. Boulevard des Capucines, la troupe ouvre le feu. Seize morts sont relevés, disposés sur une charrette et, sur le modèle d'une cavalcade, on fera cette nuit-là une théâtrale «promenade des cadavres» ; dans son sillage, Paris se couvre de barricades…

Le «Bœuf Gras», ou bœuf villé, promené dans la ville au son des vielles, est figuré pour la première fois sur un vitrail de Bar-sur-Seine en 1552. La République de 1848 le supprime. Napoléon III, tout comme l'avait fait Napoléon Ier en 1805, le rétablit en 1852. Chaque bœuf élu a un nom – Goriot en 1845, Dagobert en 1846, Monte-Cristo en 1847 – et l'on compose en son honneur une chanson. La fatigue du défilé ayant rendu sa chair un peu «sauvage», les amateurs se presseront aux abattoirs pour goûter de la bête.

Programme de l'Ordre et de la Marche des

BOEUFS-GRAS

Itinéraire de la Promenade des DIMANCHE 14, LUNDI, 15 et MARDI GRAS 16 Février 1858

Il fallut attendre une longue génération et le retour de la République pour que la fête à nouveau occupe de plein droit la rue, mais cette fois dans un ordre qui bride ses écarts et conjure ses tumultes.

Le travail des carnavaliers

Sous le second Empire, seul le «Bœuf Gras», ou bœuf villé, des bouchers, largement subventionné par la mairie, occupe le pavé, accompagné déjà de quelques chars publicitaires. Il disparaîtra après 1870. Alors la reine des lavandières, élue par ses compagnes parmi toutes les reines des bateaux-lavoirs de quartier, renoue avec la source populaire et féminine

de la première moitié du siècle. Mais ce règne fut bref. Vers 1900, la reine de la mi-carême, nouvelle date de la fête à Paris, sera désignée par un jury de notables et les festivités seront de plus en plus ostensiblement offertes par de grands patrons.

Les visages «pittoresques» – la négresse y côtoie le Juif – s'ajoutent aux loups et aux masques italiens sur ce catalogue.

CH. POLACK
DENTISTE
RANDE PHARMACIE
A. POIRSON
PHARMACIE

On oublie souvent que, loin d'être une fête où s'abolit la barrière entre acteurs et spectateurs, le carnaval suppose une division des rôles. Ceux qui regardent y ont leur place nécessaire. Dans ce tableau anonyme, nous voici à Lille, avant 1914. Sous les balcons de l'avenue, la foule s'agglutine, placide, à peine parcourue d'un frémissement d'attente. Loin de la ferveur funèbre qui anime les massives processions carnavalesques du Bruxellois James Ensor, on jette sur la cavalcade encore invisible des chars, des grosses têtes et des géants un regard à peine amusé. Mais le carnaval sait aussi tirer parti de cette rencontre des contraires. Soudain, le côté guindé de la parade sociale se révélera lorsque les masques surgiront, bousculant les premiers rangs, instaurant leur joyeux désordre.

Lavoirs, étudiants et marchandes des Halles cèdent la place à Michelin et, surtout, aux grands magasins qui, tels le Printemps ou Dufayel, paient des cavalcades où leurs produits sont vantés. Une nouvelle fête est née, elle gagne très vite – en France, en Italie, en Belgique, en Allemagne... – les villes les plus prospères.

Le carnaval carcassonnais

A Carcassonne, à la Belle Epoque, le carnaval est le point intense de l'hiver. Sa parade autour des boulevards ne dure qu'un seul après-midi mais sa préparation retient pendant des semaines les cercles d'hommes qui animent la ville. Car la fête va avec une sociabilité moderne, multiple et luxuriante à cette époque.

Les clubs de loisirs, les clubs sportifs, les sociétés de gymnastique, les commerçants et les militaires, les orphéons et les harmonies sont tous sollicités par un comité des fêtes que contrôlent quelques

A Paris, pour la mi-carême de 1912, on vit sur le char de la vie chère (ci-dessous) une ménagère reculant effrayée devant les prix annoncés par la marchande des quatre saisons. A Carcassonne, en 1925, Sa Majesté Carnaval, «vêtue seulement d'une chemise de nuit, tient d'une main un panier à salade et contemple mélancoliquement un buffet vide, envahi par les rats». En 1931, en pleine crise, c'est un bourgeois jadis cossu et bon vivant qui, en tenue de cueilleur de pommes, se présente devant le guichet d'une banque, fermée pour cause de banqueroute.

industriels. Gardons-nous de voir dans ce dispositif une main-mise délibérée et calculatrice sur l'amusement populaire. Ces mécènes qui dépensent sans compter – les uns pour l'opéra, d'autres pour la corrida, le carnaval et bientôt le rugby – ne récoltent pas toujours les bénéfices de leur geste. Ils en retirent surtout ce prestige, cette popularité sans faille attachés au don de fêtes. Certains se sont même ruinés pour rester à la hauteur de leur réputation.

Entre 1885 et 1903, l'un des principaux acteurs de la fête carcassonnaise est Michel Sabatier, inventeur d'une liqueur qui porte son nom, la Micheline, et pour laquelle il a bâti un palais agrémenté de jardins avec rocailles et cascades, de volières et d'une vaste salle des fêtes aux lustres de cristal. Ses ouvriers sont engagés en vertu de leurs compétences vocales et musicales, ils forment des chœurs et une harmonie très demandés dans les carnavals du Languedoc et sont les principaux animateurs de la fête locale. Chaque année, le palais de la Micheline accueille tous les masques du quartier et les ouvriers-musiciens défilent sur les boulevards, précédant le char de Michel Sabatier.

Mais il est alors de bon ton, à Paris comme à Carcassonne, que la dépense

Les notables de la IIIe République ont inventé la relation entre carnaval et fêtes de charité dans le cadre d'une politique plus générale : ne fallait-il pas prélever la part des pauvres sur tous les spectacles et loisirs pour compenser le recul de l'Eglise? Et le carnaval, plus que jamais pensé comme l'antagoniste païen, ne pouvait qu'être visé. Pourtant cette finalité nouvelle reste contradictoire si la fête s'en tient à la dilapidation qui la définit. Ainsi, à partir de 1875, une intention sérieuse bride les cavalcades. L'Histoire et sa reconstitution priment désormais. Le savoir, la pédagogie et la quête d'une identité urbaine se retrouvent sous ces habits «d'époque» et le souci charitable, d'être ainsi costumé, devient moins scandaleux. Ci-dessus, la mi-carême de Schaenbeck, le 26 mars 1911.

carnavalesque prenne le masque de la bienfaisance, le prétexte de la charité : c'est en leur nom que l'on collecte dans les cafés et les bals les souscriptions nécessaires à un défilé de plus en plus fastueux. Quand il reste quelques bénéfices, on les offre solennellement au Sou des écoles, aux hospices de vieux, aux Petites Sœurs des pauvres.

La parade des chars

Cette organisation nouvelle entraîne l'exhibition de ses promoteurs et généralise la mode des concours qui classent les chars, les groupes musicaux, les travestis enfantins, les jeunes filles qui briguent le titre de reine. Peu à peu, à côté des clubs, des firmes et des quartiers, les villages viennent rechercher à la ville des prix d'originalité.

Un modèle de carnaval s'impose et se diffuse.

Plus le spectacle enfle et se diversifie, plus la nécessité d'une stricte charpente rituelle s'impose. Les villes la trouvent dans le trajet du défilé, qui balise l'espace public, et dans les héros de la fête. A Nice, Triboulet, créé pour la première fois en 1882 et que l'on retrouve sur l'affiche de Béglia (ci-contre), est la référence obligée, même si le roi de l'année change au gré des modes et de l'actualité. Ainsi a-t-on vu un Buffalo Bill en 1905, une série de Gargantua dans les années 1920, un Janus, roi du jeu de cartes, en 1932 – la crise lui serrait la ceinture et il tirait la langue –, un Tyrolien, roi des loisirs, en 1967, que des «anarchistes» brûlèrent avant son heure.

Seul demeure le roi comme fil de la fête : son entrée solennelle, sa présence débonnaire sous un dais peinturluré, son jugement final et sa disparition dans les flammes dessinent un cadre permanent et unanime, balisent un temps qui, au-delà des pompes officielles, autorise toujours l'expression réglée de la folie. C'est autour du roi que se lèvent des groupes, des bandes que seule la fête suscite : pandores au corps de cheval, bigophonistes qui font bourdonner leur cornet de papier, grosses têtes qui terrorisent les enfants et que les adultes conspuent.

Le modèle niçois justifie toutes les nouveautés, car sur la Côte d'Azur, la mode carnavalesque se lance. Aussi tient-on à marquer par tous les moyens le lien avec ce maître-carnaval. On rachète aux ateliers niçois les grosses têtes et même la trogne, préservée du feu, de Triboulet, roi de Nice, pour en affubler l'année suivante son plus modeste descendant. Il est vrai que, depuis 1873, sous la présidence d'un comité qui rassemble quelques fortunes étrangères venues là en villégiature d'hiver, Nice a réinventé le carnaval. Ses chars sont devenus des machines mobiles, sonores et illuminées. Ses carnavaliers sont des professionnels. Tandis que la promenade des Anglais, sur laquelle se déversent les «trains du plaisir», draine une foule cosmopolite ébahie qui contemple à côté du savoir-faire niçois des échantillons de tous les carnavals du monde.

Les grands chars niçois (ci-dessus) sont l'œuvre d'une corporation hiérarchisée : les carnavaliers. Le chariste œuvre avec son équipe – sculpteur, monteur, peintre et

couturière – mais il demande son sujet à l'imagier du carnaval; Gustave Mossa fut l'un des plus célèbres imagiers.

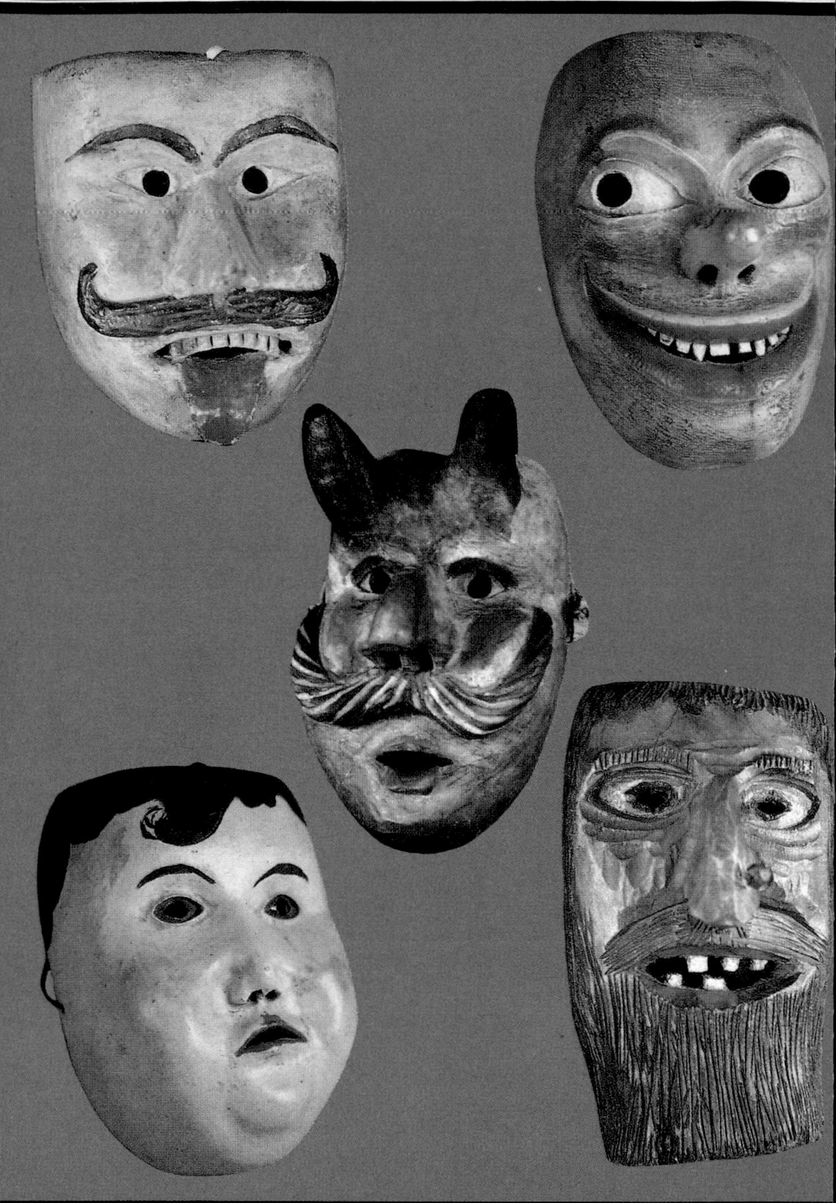

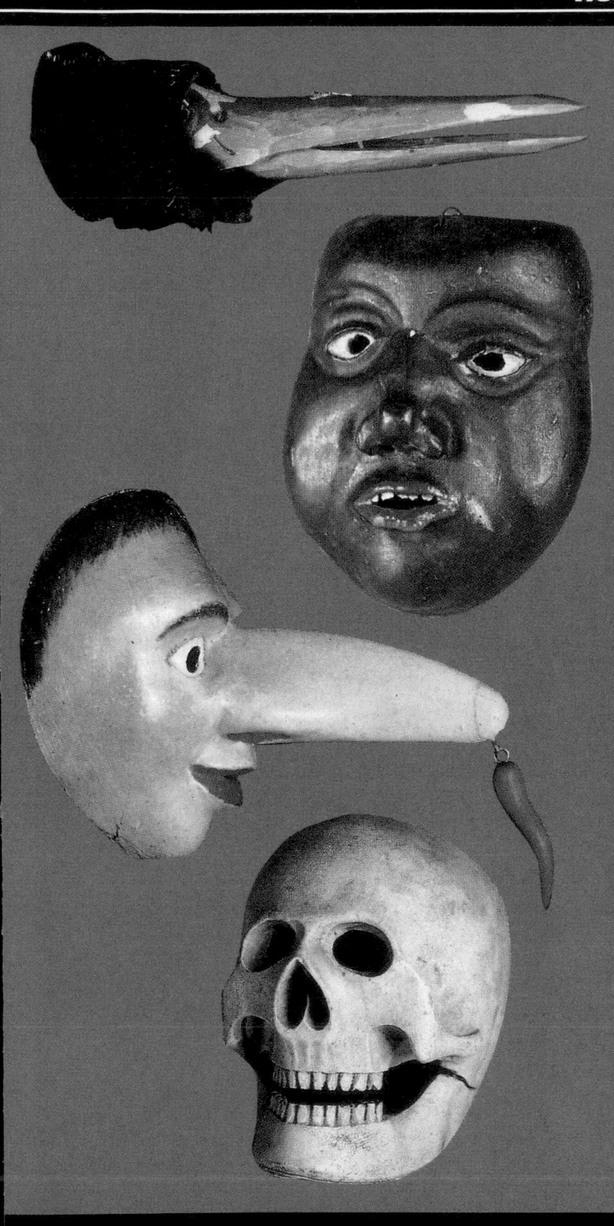

Les vallées du Trentin, en pays ladino, se situent dans l'aire des carnavals alpins et dans la zone aux masques de bois. Ici point de grandes constructions articulées, à la mode autrichienne, ni de lourds masques bruns et grimaçants comme dans le Lötschental suisse. Les visages de bois sont, depuis 1850, peints de couleurs vives et composent une panoplie diverse, renouvelée mais cependant ordonnée. En principe, le cortège est ouvert par un *laché* vêtu de blanc qui débite un compliment à l'adresse de chaque maison. Puis viennent, dansant en couple, les *mascarons* habillés de vêtements féminins. Ils se partagent entre «Beaux» et «Laids» : les premiers obéissent aux canons de la beauté masculine à la mode ; les seconds forment une galerie plus riche de types. Y figurent l'Homme des bois toujours barbu, le Diable cornu et le Maure à la peau sombre. Le cortège est fermé par le Bufon, doté d'un nez phallique orné d'une bizarre pendeloque à son extrémité.

La fête éclatée

Toutes les couches historiques du carnaval affleurent aujourd'hui côte à côte : l'homme sauvage du Tyrol autrichien (page de gauche), le riche masque de *Kukeri* bulgare qui glisse vers le folklore (en haut) et le gros Gargantua de dessin animé qui régna sur Montpellier (ci-dessous).

Que reste-t-il du carnaval ancien, de ses figures, de ses rites, de ses expériences nécessaires dans cette actuelle féeric pour touristes, partout perçue comme un idéal ? Peut-être plus qu'il n'y paraît si l'on admet que cette fête est désormais profondément clivée. A Rio comme à Bahia, à Viareggio comme à La Nouvelle-Orléans, le carnaval se dédouble. Une scène brillante, publique, centrale, repousse vers les marges la tradition toujours résurgente des hommes sauvages, des revenants et des garçons enceints, les libertés plus récentes de l'intrigue amoureuse, la verve critique et dénonciatrice. Comme ces actes essentiels ne font plus partie du «programme», on oublie souvent leur existence souterraine.

Mais d'être ainsi passés dans l'ombre a pu les métamorphoser parfois. Carnaval semble en effet autoriser dans l'Europe du XXe siècle moins la mise en scène collective de grands thèmes rituels que l'expression singulière d'une aventure pour soi. Le maquillage narcissique, le beau visage, peint mais découvert, en quête de regards qui succombent à sa séduction, remplace le masque uniforme ou repoussant. La parade où l'on se montre se substitue au drame joué ensemble, en partageant le même langage mimé et proféré. Si la folie carnavalesque existe toujours, elle est moins celle des confrères, qui l'alimentaient en secret avant de l'exposer dans les rues, que celle d'individus qui ne jouent que leur scénario et se replient pour finir sur leur univers intime. D'où cette interprétation divagante, cette relecture fantasmatique qui s'emparent du carnaval, dans des textes et des images, pour lui attribuer tous les sens possibles.

James Ensor, le peintre belge, fut hanté jusqu'au délire par les masques de la fête bruxelloise. Il voyait sous leurs oripeaux, sous le plâtre rougi de leurs visages, la pourriture des chairs et les os de la mort, et dans le flot masqué derrière son roi provisoire, les foules modernes crucifiant à nouveau leur dieu.

Pourtant, carnaval est toujours de son temps

Il s'accorde volontiers aux secousses du présent, il n'existe qu'en exerçant sa verve critique sur le cours actuel du monde et sur les puissants du moment.

C'est ce qui rend souvent cette fête, ses mots et ses écrits, opaques à la curiosité étrangère. Car, loin de prétendre à la transparence, carnaval joue sur les références et les enveloppe de métaphores.

Pour les gens du lieu, aucun masque ne dérobe jamais tout à fait son porteur ; au contraire, il le révèle. Il en est ainsi de la fête tout entière. Elle doit apparaître comme un mystère insaisissable.

Mais, une fois l'effervescence retombée, le dernier bûcher éteint, les masques abandonnés, la fête reste pour une part prisonnière de ce présent qui l'a engendrée. Elle s'éloigne d'un coup de ses acteurs, elle ne leur laisse que des souvenirs éparpillés. Et dans cet écart nécessaire, dans cet oubli, que le carême ancien ritualisait, s'enracine un dernier

L'*Intrigue* que James Ensor peint en 1890 (détail à gauche) est une de ses variations les plus fortes sur l'effrayante tristesse des masques. Ils jettent vers le spectateur leurs grimaces et leurs orbites creuses.

rapport entre carnaval et le temps. Son retour, sa répétition annuelle sont toujours frappés d'incertitude ; cette fête est aussi menaçante que menacée, on sait que son histoire est discontinue, on cite d'anciennes éclipses, d'où la lancinante question : «Le fera-t-on cette année ?» Son avènement doit donc être une surprise, une conquête, comme si le rite s'efforçait, paradoxalement, de préserver les errances, les hésitations, les aléas de la vie.

Dans le tableau d'Ensor, *Squelettes se disputant un pendu* (1891), les masques sont dans la coulisse et carnaval, jouant sa mort provisoire, met en scène la nécessaire intermittence de son destin, calendaire et historique.

TÉMOIGNAGES ET DOCUMENTS

Temps de la dérision, de l'inversion,
de la révolte permise,
le carnaval, dans ses formes les plus diverses
et sous tous les horizons,
conjure les peurs et exalte la folie humaine.

Les sots et les fous

*Au XVe siècle, le sot devient le clown théâtral dont la simple apparition instaure le nouvel ordre carnavalesque; l'homme à la marotte et au coqueluchon est le signe de ralliement des confréries joyeuses avant de devenir sous la plume d'Erasme, dans l'*Eloge de la Folie *(1509), un moraliste rassis.*

L'appel de la sotie

Le farceur Pierre Gringore – ou Gringoire – (1475-1539) travailla pour les deux bazoches parisiennes, celle du Parlement et celle du Châtelet, écrivit de nombreuses soties, dont le Jeu du Prince des Sotz *qui fut joué aux Halles de Paris pour le mardi gras 1512. En voici le* cry *qui appelle à la fête.*

Sotz lunatiques, sotz estourdis, sotz [saiges,
Sotz de villes, de chasteaulx, de villages
Sotz rassotez, sotz nyais, sotz subtilz,
Sotz amoureux, sotz privez, sotz savages,
Sotz vieulx, nouveaulx et sotz de toutes [aages,
Sotz barbares, estranges et gentilz,

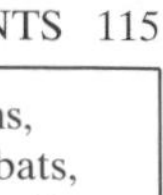

La mort entraînant la nuit.

Sotz raisonables, sotz pervers, sotz restifs,
Vostre prince, sans nulles intervalles,
Le mardy gras jouera ses jeux aux
[Halles.

Sotes dames et sottes damoiselles,
Sotes vieilles, sottes jeunes, nouvelles,
Toutes sottes ayant le masculin,
Sottes hardies, couardes, laides, belles,
Sottes frisques, sottes doulces, rebelles,
Sottes qui veullent avoir leur picotin,
Sottes trotantes sur pavé, sur chemin,
Sotte rouges, mesgres, grasses et pales,
Le mardy gras jouera le prince aux
[Halles.
Sotz yvrognes, aymans les bons lopins,
Sotz qui crachent au matin jacopins,
Sotz qui ayment jeux, tavernes, esbats,
Tous sotz jaloux, sotz gardans les patins,
Sotz qui chassent nuyt et jour aux
[connins,
Sotz qui ayment a frequenter le bas,
Sotz qui faictes aux dames les choux gras,
Advenez y, sotz lavez et sotz salles,
Le mardy gras jouera le prince aux
[Halles.

Mere Sotte semont toutes ses sottes,
Ne faillez pas a y venir, bigottes,
Car en secret faictes de bonnes cheres,
Sottes gayes, delicates et mignottes,
Sottes doulces qui rebrassez voz cottes
Sottes qui estes aux hommes familieres,
Sottes nourisses et sottes chambrerieres,
Monstrer vous fault doulces, cordiales,
Le mardy gras jouera le prince aux
[Halles.

Fait et donné, buvant si a plains potz,
En recordant la naturelle game,
Par le prince des sotz et des suppostz,
Ainsi signé d'ung pet de preude femme.

Emile Picot,
Recueil général des soties,
Paris, SATLF

Stultifera navis

La Nef des fous, Narrenschiff, *de Sébastien Brant fut publiée à Bâle le jour du carnaval 1494 et aussitôt traduite en latin et français. Satire morale inspirée du* topos *biblique* «Infinitus est stultorum numerus», *elle porte sur l'humanité un regard pessimiste : la folie et le masque sont, bien au-delà du carnaval, le lot de tous les hommes.*

Et voici d'autres fous
qui fêtent carnaval
et gardent leur bonnet
le plus longtemps qu'ils peuvent.

N*avis stultorum*, Bâle, 1494.

Au début du carême
ils continuent encore
à agacer chacun :
ils sortent dans les rues
la figure noircie
et le corps travesti,
ils courent et gambadent
comme des farfadets,
ils font des pirouettes
à se casser le nez
comme sur de la glace.
Certains ne veulent
pas se faire reconnaître
mais finissent par dire
eux-mêmes qui ils sont;
ils se sont fait des têtes,
mais veulent tout de même
se faire remarquer
et que l'on dise d'eux :
«Voyez Sieur Potiron
qui conduit à son bras
la fille Citrouillette;
c'est grand honneur pour nous
qu'il vienne chez les pauvres,
nous sommes très flattés
d'être ainsi visités!»

Mais en réalité
ils veulent s'amuser
comme des débauchés
et pondre déjà l'œuf
pendant le carnaval
même si le coucou
ne chante ses amours
qu'au joli mois de mai.
Dans certaines maisons
on offre des beignets,
mais il est plus prudent
de ne pas y entrer
pour de bonnes raisons
que je préfère taire.
L'idée que carnaval
est fait pour s'amuser
est invention du diable
ou bien de la folie.
Quand on devrait songer
au salut de son âme,
les fous entrent en scène
et veulent vous bénir
par leurs festivités :
comme ils sont acculés
au mercredi des cendres,
il faut se goberger

dans les jours qui précèdent.
On trotte dans les rues
en menant grand tapage
comme pour rattraper
l'essaim d'abeilles en fuite;
quand l'un d'eux est au point
de perdre la raison,
il croit que c'est à lui
de se voir couronné
Majesté Carnaval.
Ce ne sont que poursuites
de maison en maison,
débauche d'inconduite
sans débourser un sou,
et ça jusqu'à minuit;
le diable est dans le jeu!
Au lieu de rechercher
le salut de son âme,
on danse éperdument,
mené par la folie.
Certains vont s'empiffrer
d'abondante mangeaille,
comme s'ils devaient être
une année sans manger,
et ne sont pas repus
quand sonnent les matines,
les viandes défendues
calent leur estomac
jusqu'au lever du jour.

Je dis en vérité
que ni juifs, ni païens
ni gitans ou tatares
n'ont autant d'infamie
dans leurs propres pratiques
que nous autres chrétiens
qui sommes fiers de l'être
et le prouvons si peu
par nos œuvres pieuses;
avant que ne commence
la période sacrée,
nous pensons à fêter
trois-quatre mardis gras
où nous perdons le sens,
ce qui se répercute
tout le long de l'année.
On a coupé la tête
au jeûne du dimanche
de la Quinquagésime
pour lui ôter sa force.

Bien peu nombreux sont ceux
qui présentent leur front
avec grande piété
pour recevoir les cendres :
ils craignent que les cendres
ne leur brûlent la peau
et préfèrent noircir
leur visage de suie
afin de devenir
noirs comme du charbon :
les insignes du diable
leur plaisent mieux sans doute
que l'insigne de Dieu. [...]

Et je termine ainsi
quoique certains s'offusquent
de voir le carnaval
occuper seul la place
et n'en laisser aucune
au vrai recueillement.
Selon la position
que nous avons choisie
d'adopter envers Dieu,
il nous laisse souvent
la bride sur le cou
jusqu'à la dernière heure.

Le bonnet à grelots
apporte angoisse et peine,
mais jamais de repos,
même en temps de carême
et en semaine sainte,
il continue toujours
à coiffer bien des têtes.

Sébastien Brant, *La Nef des fous*,
Traduction de Madeleine Horst,
Paris, Seghers, 1979

Les monarques de la folie

En 1665, le Parlement de Paris descend en Auvergne pour rendre la justice et soumettre «les grands seigneurs méchants hommes». Un jeune clerc, Esprit Fléchier, tiendra la chronique de ces Grands Jours et s'initiera aux lois de l'ancienne folie.

Le lendemain, nous fûmes fort étonnés d'entendre battre dès le matin tous les tambours de la province, dont le son confus, renfermé dans les rues étroites de la ville, faisait un bruit épouvantable, qui n'était diversifié que par le son de plusieurs flûtes ensemble. Une troupe de jeunes gens suivait, dont les livrées, mêlées de jaune et de vert, paraissaient un peu extravagantes. M. l'intendant et M. Talon trouvèrent cette réjouissance publique bien insolente, dans un temps où la mort récente de la reine devait supprimer tous les divertissements, et envoyèrent ordre aux tambours de se retirer. [...] Deux ou trois de ces Messieurs s'étant détachés du gros montèrent dans la salle de l'intendant, et le saluant d'une manière tout à fait folle : «Sache, lui dirent-ils, que nous sommes les officiers du prince de Haute-Folie, qui allons imposer le tribut ordinaire à un seigneur étranger qui vient enlever la plus belle nymphe de son royaume. Nous avons nos voix.» A peine eut-il achevé ces mots que tous les tambours, entrant dans la cour, firent un si grand bruit qu'on ne pouvait plus s'entendre dans la maison. Le plus court fut de rire avec eux, et de se retirer pour n'être point étourdi. Comme on nous racontait cette folie, un homme de qualité de la ville, qui est déjà fort âgé, et qui était autrefois fort zélé pour ces principautés, poussa deux ou trois soupirs, et nous regardant d'un air triste : «Hélas! nous dit-il, les princes de la Folie de notre temps faisaient bien d'autres magnificiences; et ce qui nous réjouit aujourd'hui nous aurait fait pitié dans nos jeunes ans, et ne nous divertit présentement que par le souvenir des choses passées.» Nous entrâmes dans ce sentiment, et lui dîmes, pour le consoler, qu'il était fâcheux de voir que le règne de la folie n'était plus si florissant qu'il avait été; que c'était le destin des bonnes coutumes de se perdre insensiblement, et que nous n'arriverions jamais à la perfection de nos anciens. [...] Nous le pressâmes ensuite de nous dire quelque chose de ces jeux anciens. [...] L'ayant animé, il nous parla ainsi :

Les trois royaumes

« [...] Comme la ville est divisée en trois quartiers, aussi avions-nous accoutumé d'élire trois princes, qui étaient les intendants des divertissements publics et qui avaient soin de tenir la jeunesse en belle humeur. On leur avait donné des noms et des principautés plaisantes; l'un s'appelait le prince de Haute-Folie, l'autre du Bon-Temps, et le dernier prince de la Lune. Chacun avait ses officiers et sa cour complète et marchait avec beaucoup de train et grande quantité de livrée. Lorsque la saison était belle et que la noblesse était assemblée, ils envoyaient des ambassadeurs en bel équipage pour renouveler leurs alliances, et faisaient des parties de récréation les plus divertissantes et même les plus éclatantes du monde. Il s'y faisait des cérémonies, des harangues, des festins et des courses de cheval qui étaient de très beaux spectacles; lorsqu'un de ces rois était amoureux et qu'il voulait divertir sa maîtresse, il assemblait ses courtisans, et envoyant faire des défis aux princes voisins, il se mettait en campagne avec une belle cavalerie pour soutenir qu'il n'y avait point de dames dans les autres états qui fût plus belle ni plus charmante que la sienne, et sur ces innocentes querelles, ils se donnaient des cartels les plus ingénieux du monde, et faisaient de petits tournois qui ressemblaient à ceux des anciens paladins des Gaules. C'étaient là des exercices nobles qui pouvaient non seulement divertir, mais encore aguerrir nos jeunes gens, et rendre notre ville aussi forte que galante. [...]

L'impôt du charivari

Tout ce qui reste de ces jeux anciens est un droit d'exaction et une imposition de tribut en certaines rencontres. Lorsqu'un étranger épouse une demoiselle de la ville, le prince la taxe à un certain nombre de millions, qui valent autant de pistoles, pour leur faire payer la sortie de la nymphe qu'il enlève. Lorsqu'un homme veuf épouse une fille, ou une veuve un garçon, ils sont taxés selon leur condition pour avoir enlevé la nymphe ou le seigneur qui devait appartenir à quelque autre. Voilà les seules taxes dont on parlait en ce temps-là. Chacun y jouissait en repos de son bien et ne devait rien jusqu'à son mariage. L'imposition était fort modique, on donnait un temps raisonnable à payer, et plût à Dieu que toutes les taxes fussent de même. Il est vrai qu'après le temps préfix, on allait lever la somme, et que si l'on différait un peu trop,

l'usage était que les officiers du prince entraient dans la maison du débiteur avec beaucoup de folie, suivant leur institut, détendaient les tapisseries, confondaient tous les meubles, et c'était l'ordre de jeter tout par la fenêtre. Cela se faisait de si bonne grâce que c'était un divertissement et non pas une violence; et ces sortes de plaisants désordres passaient pour des fêtes d'état parmi le peuple. Cette levée de deniers servaient à deux ou trois choses : à honorer par quelques pompes extérieures le mariage des taxés, à faire un festin où se trouvait toute la cour, et à fournir aux réparations de la ville. L'établissement reste encore, mais le luxe et la belle joie n'en sont plus, et la peine qu'on a à payer des taxes rigoureuses étaient le plaisir qu'on avait de lever celles qui nous étaient si agréables.»

Esprit Fléchier,
Les Grands Jours d'Auvergne,
Paris, Mercure de France, 1984

De la rue au théâtre

A Rome, l'ouverture des théâtres, le 1er janvier, marquait, au XVIIIe siècle, l'entrée dans le carnaval. La fête génère ses mises en scènes dramatiques mais elle peut aussi se transposer dans le plus fermé des théâtres sans perdre de vue ce qui la fonde.

Le pays de Cocagne

Le thème de l'abondance grasse et sucrée est, dès le XIIIe siècle, le sujet d'un fabliau sur Cocagne; ici, Lope de Rueda, le Sévillan (1510 ?-1565), met en scène un innocent, un fou de carnaval qui croit en l'utopie de Cocagne comme le spectateur croit aux merveilles du théâtre.

Mendrugo (littéralement «croûton de pain») se rend à la prison où sa femme est enfermée pour maquerellage – «elle a, dit-il, beaucoup de protecteurs». Deux larrons se jouent de sa simplicité.

HONZIGERA : Viens ici, assieds-toi un peu et nous allons te raconter les merveilles du pays de Cocagne.

MENDRUGO : D'où, monsieur?

PANARIZO : Du pays où on donne le fouet aux hommes qui travaillent.
MENDRUGO : Oh! quel beau pays! Racontez-m'en les merveilles, s'il vous plaît.
HONZIGERA : Allons-y! Approche-toi. Viens t'asseoir ici, entre nous deux. Fais bien attention.
MENDRUGO : Je suis tout oreilles, monsieur.
HONZIGERA : Tu vois, au pays de Cocagne, il y a un fleuve de miel et, à côté, un autre de lait. Et entre les deux fleuves, il y a une source de petits pains au beurre et au sucre attachés avec des fromages blancs, qui se jette dans le fleuve de miel et qui semble dire : «Mangez-moi, mangez-moi!»

MENDRUGO : Mais, pardi! point ne serait besoin de m'y inviter deux fois.
PANARIZO : Ecoute ici, benêt.
MENDRUGO : Je vous écoute, monsieur.
PANARIZO : Tu vois, au pays de Cocagne, il y a des arbres dont le tronc est en lard.
MENDRUGO : Oh! arbres bénis! Que Dieu vous bénisse, amen!
PANARIZO : Et dont les feuilles sont des oreillettes; et dont les fruits sont des beignets qui tombent dans le fleuve de miel et qui y nagent en disant : «Mâchez-moi, mâchez-moi!»
HONZIGERA : Tourne-toi par ici.
MENDRUGO : Je me tourne.
HONZIGERA : Tu vois, au pays de Cocagne, les rues sont empierrées de jaunes d'œufs et entre les jaunes d'œufs il y a des pâtés avec des tranches de lard.
MENDRUGO : Du lard rôti?
HONZIGERA : Du lard rôti et qui dit : «Avalez-moi! avalez-moi!»
MENDRUGO : Il me semble que je suis en train de l'avaler.
PANARIZO : Tu vois, au pays de Cocagne, il y a des broches de trois cents pieds de long, avec tout plein de poulardes et de chapons, de perdrix, de lapins, de francolins.
MENDRUGO : Oh! comme je les mange, ceux-là!
PANARIZO : Et à côté de chaque oiseau, il y a un cochon de lait qui n'attend que d'être découpé, et tout cela dit : «Dévorez-moi, dévorez-moi!»
MENDRUGO : Eh! quoi? les oiseaux parlent?
HONZIGERA : Ecoute-moi.
MENDRUGO : Ah! je vous écoute, pauvre de moi! Je resterais toute la journée à écouter parler de choses qui se mangent.
HONZIGERA : Tu vois, au pays de Cocagne, il y a tout plein de boîtes de confiture, tout plein de conserves de citrouille, de citronnat, tout plein de massepains, tout plein de fruits confits.

MENDRUGO : Dites cela moins vite, monsieur.
HONZIGERA : Il y a des dragées et des flacons de vin, et tout cela dit : «Buvez-moi, mangez-moi, buvez-moi, mangez-moi!»
PANARIZO : Tu te rends compte?
MENDRUGO : Je m'en rends si bien compte, monsieur, qu'il me semble que j'avale et que je bois.
PANARIZO : Tu vois, au pays de Cocagne, il y a tout plein de marmites avec du riz et des œufs et du fromage…
MENDRUGO : Comme celle que je porte?
PANARIZO : Qui arrivent pleines et dont j'offre au diable ce qu'elles contiennent en s'en retournant.
MENDRUGO : Eh! allez-y au diable! Que Dieu vous garde! Voilà ce qu'ont fait mes beaux conteurs de sornettes du pays de Cocagne! Puissiez-vous être emportés par les griffes de cinquante martinets! Qu'est devenue ma marmite? Ah! je jure sur ma tête qu'on m'a joué un bien méchant tour! Oh! que le démon aux longues pattes les emporte! S'il y avait

tellement à manger dans leur fameux pays, pourquoi ont-ils mangé ce que contenait ma marmite? Eh bien! je fais serment sur ma tête, et je jure pour de bon que j'enverrai à leurs trousses quatre ou cinq tinels d'archers de la Sainte Hermandad, pour qu'ils les aient à leur charge. Mais d'abord je veux dire à Vos Grâces que, pendant que le chien pisse, le lièvre s'en va.

in *Théâtre espagnol du XVIe siècle,*
Traduction de Pierre Guénoun,
«Bibliothèque de la Pléiade»,
Paris, Gallimard

Carnaval 1673 : Le Malade imaginaire

Molière jouait le rôle d'Argan et mourut en sortant de la scène comme un de ces rois de carnaval autour duquel se pressent gravement les docteurs à chapeaux noirs, lunettes et langage latin qui, en Italie du Sud par exemple, viennent l'achever de leurs folles médecines, le soir du mardi gras.

Argan assis, une table devant lui, comptant avec des jetons, les parties de son apothicaire.

Trois et deux font cinq, et cinq font dix, et dix font vingt; trois et deux font cinq. «Plus, du vingt-quatrième, un petit clystère insinuatif, préparatif et émollient pour amollir, humecter et rafraîchir les entrailles de monsieur.» Ce qui me plaît de monsieur Fleurant, mon apothicaire, c'est que ses parties sont toujours fort civiles. «Les entrailles de monsieur, trente sols.» Oui; mais monsieur Fleurant, ce n'est pas tout que d'être civil; il faut être aussi raisonnable, et ne pas écorcher les malades; trente sols, un lavement! Je suis votre serviteur, je vous l'ai déjà dit; vous ne me les avez mis dans les autres parties qu'à vingt sols; et vingt sols en langage d'apothicaire, c'est-à-dire dix sols; les voilà, dix sols. «Plus, dudit jour, un bon clystère détersif, composé avec catholicon double, rhubarbe, miel rosat, et autres, suivant l'ordonnance, pour balayer, laver et nettoyer le bas-ventre de monsieur, trente sols.» Avec votre permission, dix sols. «Plus, dudit jour, le soir, un julep hépatique, soporatif et somnifère, composé pour faire dormir monsieur, trente-cinq sols.» Je ne me plains pas de celui-là; car il me fit bien dormir. Dix, quinze, seize et dix-sept sols six deniers. «Plus, du vingt-cinquième, une bonne médecine purgative et corroborative composée de casse récente avec séné levantin, et autres, suivant l'ordonnance de monsieur Purgon, pour expulser et évacuer la bile de monsieur, quatre livres.» Ah! monsieur Fleurant, c'est se moquer : il faut vivre avec les malades. Monsieur Purgon ne vous a pas ordonné de mettre quatre francs. Mettez, mettez trois livres, s'il vous plaît. Vingt et trente sols. «Plus, dudit jour, une potion anodine et astringente, pour faire reposer monsieur, trente sols.» Bon, dix et quinze sols. «Plus, du vingt-sixième, un clystère carminatif, pour chasser les vents de monsieur, trente sols.» Dix sols, monsieur Fleurant. «Plus, le clystère de monsieur, réitéré le soir, comme dessus, trente sols.» Monsieur Fleurant, dix sols. «Plus, du vingt-septième, une bonne médecine, composée pour hâter d'aller, et chasser dehors les mauvaises humeurs de monsieur, trois livres.» Bon, vingt et trente sols; je suis bien aise que vous soyez raisonnable. «Plus, du vingt-huitième, une prise de petit lait clarifié et dulcoré, pour adoucir, lénifier, tempérer, et rafraîchir le sang de monsieur, vingt sols.» Bon, dix sols. «Plus, une potion cordiale et préservative, composée avec douze grains de bézoard, sirops de limon et grenade, et autres, suivant

l'ordonnance, cinq livres.» Ah! monsieur Fleurant, tout doux, s'il vous plaît; si vous en usez comme cela, on ne voudra plus être malade : contentez-vous de quatre francs; vingt et quarante sols. Trois et deux font cinq, et cinq font dix, et dix font vingt. Soixante et trois livres quatre sols six deniers. Si bien donc que, de ce mois, j'ai pris une, deux, trois, quatre, cinq, six, sept et huit médecines; et un, deux, trois, quatre, cinq, six, sept, huit, neuf, dix, onze et douze lavements; et l'autre mois, il y avait douze médecines, et vingt lavements. Je ne m'étonne pas si je ne me porte pas si bien ce mois-ci que l'autre. Je le dirai à monsieur Purgon, afin qu'il mette ordre à cela. Allons, qu'on m'ôte tout ceci. *(Voyant que personne ne vient, et qu'il n'y a aucun de ses gens dans sa chambre.)* Il n'y a personne. J'ai beau dire : on me laisse toujours seul; il n'y a pas moyen de les arrêter ici. *(Après avoir sonné une sonnette qui est sur la table.)* Ils n'entendent point, et ma sonnette ne fait pas assez de bruit. Drelin, drelin, drelin. Point d'affaire. Drelin, drelin, drelin. Ils sont sourds… Toinette! Drelin, drelin, drelin. Tout comme si je ne sonnais point. Chienne! coquine! Drelin, drelin, drelin. J'enrage! *(Il ne sonne plus, mais il crie).* Drelin, drelin, drelin. Carogne, à tous les diables! Est-il possible qu'on laisse comme cela un pauvre malade tout seul? Drelin, drelin, drelin. Voilà qui est pitoyable! Drelin, drelin, drelin. Ah mon Dieu, ils me laisseront ici mourir! Drelin, drelin, drelin.

Molière,
Le Malade imaginaire,
Acte I, scène 1

Chienlit de place et chienlit de scène

A l'instar de Restif de la Bretonne, Sébastien Mercier jette un regard aigu sur la rue parisienne du XVIIIe siècle finissant; et il a su voir ce qui rassemble et oppose, en temps de carnaval, le peuple et «les autres».

Une des bêtises du peuple de Paris, c'est ce qu'on appelle *attrape* en carnaval. On vous attrape de toutes parts. On applique aux mantelets noirs des vieilles femmes qui sortent pour aller aux prières de quarante heures des plaques blanches qui ont la forme de rats; on leur attache des torchons, on sème des fers brûlants et des pièces d'argent clouées au pavé; enfin ce qu'on peut imaginer de plus

ignoble divertit infiniment la populace.

Pendant tout le carnaval, elle ne parle que d'ordures, et enfante sur ce chapitre mille grossières équivoques; alors elle rit aux éclats. Un masque se promène dans tous les beaux quartiers, sous les fenêtres des dames et des demoiselles, ayant l'air d'être en chemise et sans culotte; le derrière de cette chemise est chargé de moutarde; d'autres masques qui suivent s'empressent avec des morceaux de boudin d'aller au moutardier ambulant, et le peuple de percer la nue en applaudissant à ces dégoûtantes plaisanteries.

C'est cependant au milieu de cette capitale, centre du goût et des lumières, que cent mille individus suivent en foule ces farces qui font vomir, et qu'on reproche ensuite à l'auteur du *Misanthrope* (qui fut obligé, comme directeur de troupe, de travailler pour le peuple), qu'on lui reproche encore la procession des seringues dans *Pourceaugnac*. Les comédiens-français, ces jours-là, ne manquent point de donner *Dom Japhet d'Arménie* et autres scaronades, et les spectateurs s'amusent fort d'un pot de chambre vidé sur la scène, d'un apothicaire en attitude et d'un malade dévoyé qui court à la garde-robe avec les grimaces du moment.

La canaille rit dans les carrefours, et le beau monde sur les banquettes de velours de l'orchestre et de l'amphithéâtre. Préville, comédien du roi, joue la dégoûtante mascarade tout aussi bien et avec autant de feu que le polisson des rues, et leurs gestes licencieux sont à peu près les mêmes.

Sébastien Mercier,
Tableau de Paris,
Choix de Jeffry Kaplow,
Paris, La Découverte, 1983

1788, Venise et Rome

Avant que le cataclysme de la Révolution française et des conquêtes impériales ne s'abatte sur l'Europe et ne balaie, pour un temps, les anciens carnavals des villes et des cours, voici deux regards opposés sur les derniers fastes d'Ancien Régime.

Venise, vue d'en bas

Partout l'inquisition et ses «seigneuries illustrissimes» entretiennent des espions qui enquêtent sur l'esprit public, qui captent l'air du temps. Giacomo Casanova fut l'un d'eux. Mais comment comprendre vraiment ces gestes, ces éclats de voix que le carnaval autorise, exige même?

Pour obéir aux Vénérés Commandements de V. S. Ill., je vous rapporte que les boutiques de café, la nuit dernière, ne

furent pas pleines de gens, mais qu'il y eut quand même beaucoup de bruit, spécialement dans la seconde pièce de la boutique de Stefano Caurlini. Hier, il y eut beaucoup d'hommes vêtus en *gnaghe*, qui se disaient entre eux des plaisanteries parfois scandaleuses et se moquaient des autres masques qui ne savaient pas soutenir le personnage qu'ils représentaient. Hier encore, un masque qui avait le parler brescian faisait du vacarme; deux masques vêtus en *furlani* jouaient de la flûte; un autre, qui menait une poule vivante, la faisait continuellement crier. Quelque diligence que j'y aie apportée, je n'ai pu relever le nom d'aucun de ces masques et, dans cette pièce même, je n'en ai reconnu qu'un seul, qui est un certain Pielo Zini, marchand d'étoffes sous les portiques du Rialto. Ce dernier était accompagné de deux masques vêtus de noir avec des nœuds de futaine sur tout le vêtement.

[...] Un masque entra ensuite, tiré d'une comédie qui se joue dans le théâtre de Sant' Angelo et nommé pour cette raison « Il Sior Tonin Buona Grazia»; tout en faisant le simple d'esprit, il montra sa virtuosité par des sonnets qu'il récita; mais au milieu de toutes ces choses, il dit des paroles offensantes. Hier soir, dans la boutique «Alle Rive», il fut réprimandé par deux masques proprement mis, tant que le patron de la boutique, qui se nomme Nicola, a commandé à ses garçons de le mettre à la porte en lui disant de ne plus revenir. J'ai fait la connaissance d'un employé de cette boutique, nommé Giuseppe, qui m'a dit que le masque en question était un certain Marco Spada, qui est cafetier.

Girolamo Lioni, 19 janvier 1788.

in Giovanni Comisso,
Les Agents secrets de Venise,
Traduction de Lucien Leluc *et al.*,
Paris, Le Promeneur, 1990

Rome, l'œil du génie

Goethe fait son «tour» en Italie. Il est dans un moment d'incertitude. Il fuit, il se transforme en pèlerin des hauts lieux de l'art. Entre 1786 et 1788, il regarde, dessine, tente de comprendre des chefs-d'œuvre. En février 1788, lors de son second séjour, il écrit à Rome la toute première description ethnologique d'un carnaval.

En entreprenant une description du carnaval de Rome nous devons craindre l'objection qu'une fête pareille ne peut à vrai dire pas être décrite. Une masse vivante si grande d'objets sensibles devrait se mouvoir directement devant les yeux et être regardée et saisie par chacun à sa manière.

Cette objection devient encore plus grave si nous devons avouer nous-mêmes que le carnaval de Rome ne produit sur un spectateur étranger qui le voit pour la première fois, et qui veut et peut seulement «voir», ni une impression d'ensemble ni un effet agréable, et qu'il ne réjouit guère la vue ni ne satisfait l'esprit.

On ne peut embrasser du regard la rue étroite et longue dans laquelle une foule innombrable de personnes se meut dans un sens et dans l'autre; on distingue à peine quelque chose dans la partie de la cohue que l'œil peut saisir. Le mouvement est monotone, le bruit assourdissant, la fin de la journée n'est pas satisfaisante. Mais ces difficultés seront bientôt écartées si nous nous expliquons mieux; et la question sera avant tout de savoir si la description elle-même nous justifie. [...]

La différence entre les grands et les petits semble abolie pendant un instant : tout le monde se rapproche, chacun prend légèrement tout ce qui lui arrive, et l'impertinence et la liberté réciproques sont contrebalancées par une bonne humeur générale.

Ces jours-là le Romain se réjouit encore à notre époque de ce que la naissance du Christ a pu différer de quelques semaines, mais non supprimer la fête des Saturnales et ses privilèges. [...]

Le Corso

Le carnaval de Rome se concentre dans le Corso. Cette rue délimite et détermine les réjouissances publiques de ce jour. En tout autre endroit ce serait une autre fête; et pour cela nous avons avant tout à décrire le Corso.

Comme plusieurs longues rues de villes italiennes, il doit son nom aux courses de chevaux, qui terminent à Rome chaque soir de carnaval, et qui en d'autres endroits marquent la fin d'autres fêtes, telles que celles du patron ou de la dédicace d'une église. [...]

Masques en route vers le Corso.

Promenade en voiture sur le Corso

Déjà tous les dimanches et jours de fête de l'année le Corso est animé. Les Romains distingués et riches y font une heure ou une heure et demie avant la nuit des promenades en voiture en files très serrées; les équipages viennent du Palais de Venise, tiennent la gauche, passent, quand il fait beau, devant l'obélisque, sortent par la Porte du Peuple et suivent la Voie Flaminienne, parfois jusqu'au Ponte Molle.

Ceux qui s'en retournent tôt ou tard tiennent le côté opposé; ainsi les deux files de voitures passent l'une le long de

l'autre dans l'ordre le plus parfait. [...]

Première phase

Déjà à partir du nouvel an les théâtres sont ouverts et le carnaval a commencé. On voit par-ci par-là dans les loges une belle qui, déguisée en officier, montre avec le plus grand contentement d'elle-même ses épaulettes au peuple. Les promenades en voiture se font plus nombreuses; mais l'attente générale se porte sur les huit derniers jours. [...]

Signal de la liberté carnavalesque complète

L'attente se trouve alimentée et coupée chaque jour jusqu'à ce qu'enfin une cloche du Capitole donne peu après midi le signal qu'il est permis d'être fou à ciel ouvert.

A ce moment le Romain sérieux, qui se garde soigneusement toute l'année de tout faux pas, dépose tout d'un coup sa gravité et sa réserve.

Les paveurs, qui ont fait entendre jusqu'au dernier moment leur cliquetis, ramassent leurs outils, et en plaisantant ils finissent de travailler. Tous les balcons, toutes les fenêtres sont peu à peu garnis de tapis; sur les exhaussements du pavé des deux côtés de la rue on place des chaises devant les maisons; les locataires de condition plus modeste et tous les enfants sont dans la rue, qui cesse maintenant d'être une rue : elle ressemble plutôt à une grande salle

Scopetta, Gianuncolo et Scopetti.

de fêtes, à une immense galerie décorée.

Car de même que toutes les fenêtres sont garnies de tapis, de même toutes les tribunes sont ornées de vieilles tapisseries tissées; les nombreuses chaises augmentent l'impression de chambre, et le ciel clément rappelle rarement qu'on est sans toit.

Ainsi la rue paraît peu à peu toujours plus habitable. En sortant de la maison on ne croit pas être en plein air et parmi des étrangers, mais dans une salle et parmi des personnes de connaissance. […]

Les masques

Maintenant les masques commencent à devenir plus nombreux. Des jeunes gens revêtus d'habits de fête des femmes de la plus basse classe, avec la poitrine découverte et un air de suffisance effrontée, se montrent généralement d'abord. Ils caressent les hommes qu'ils rencontrent, se montrent sans-gêne et familiers avec les femmes, comme si elles étaient leurs pareilles, et font en outre tout ce que leur fantaisie, leur esprit ou leur polissonnerie leur suggèrent.

Nous nous rappelons entre autres un jeune homme qui jouait remarquablement bien le rôle d'une femme emportée, querelleuse, ne se laissant tranquilliser d'aucune façon, et qui se disputait ainsi tout le long du Corso, apostrophant chacun qui passait, tandis que ses compagnons semblaient se donner toutes les peines du monde pour le calmer.

Voici venir en courant un Polichinelle qui porte ballottant autour de ses hanches une grande corne suspendue à des rubans multicolores. Pendant qu'il cause avec des femmes il sait par un léger mouvement imiter effrontément l'image du vieux dieu des jardins dans la sainte Rome, et sa bouffonnerie excite plus de gaieté que d'indignation. En voilà venir un autre de la même espèce qui, plus modeste et plus tranquille, amène avec lui sa belle moitié.

Comme les femmes ont autant de plaisir à se montrer en habits d'hommes que ceux-ci à se faire voir en habits de femmes, elles n'ont pas manqué d'endosser le costume en vogue de Polichinelle, et il faut avouer qu'elle réussissent souvent à être des plus charmantes sous cette forme ambiguë. [...]

Les voitures

Tandis que le nombre des masques augmente, les voitures entrent peu à peu dans le Corso, dans le même ordre que nous avons décrit plus haut quand il était question des promenades des dimanches et jours de fête; avec la seule différence que maintenant celles qui, venant du Palais de Venise, descendent la rue du côté gauche, tournent là où le Corso cesse et remontent tout de suite de l'autre côté.

Nous avons déjà indiqué plus haut que la rue, si l'on fait abstraction des trottoirs réservés aux piétons, n'a dans la plupart des endroits qu'une largeur de guère plus de trois voitures.

Les trottoirs sont tous encombrés par des tribunes, couverts de chaises, et beaucoup de spectateurs ont déjà pris leurs places. Tout près des tribunes et des chaises descend une file de voitures qui remonte de l'autre côté. Les piétons sont enfermés dans un espace de tout au plus huit pieds de large entre ces deux files; chacun se pousse de côté et d'autre autant qu'il peut, et du haut de toutes les fenêtres et de tous les balcons une foule compacte regarde la cohue.

Les premiers jours on ne voit la plupart du temps que les équipages ordinaires, car chacun réserve pour les jours suivants ce qu'il veut produire d'élégant ou de somptueux. Vers la fin du carnaval apparaissent plus de voitures découvertes, dont quelques-unes sont à six places : deux dames sont assises l'une en face de l'autre sur des sièges plus hauts de manière à ce que qu'on puisse les voir tout entières, quatre messieurs occupent les quatre autres places dans les coins, les cochers et les domestiques sont masqués, les chevaux sont ornés de rubans de gaze et de fleurs. [...]

Les confetti

Si notre description n'a donné jusqu'ici que l'idée de conditions étroites, voire presque angoissantes, elle produira un effet plus singulier encore quand nous raconterons comment par une espèce de petite guerre, qui n'est la plupart du temps qu'un amusement mais ne devient souvent que trop sérieuse, l'agitation est portée dans cette foule compacte de gens en fête.

Probablement une belle a une fois par hasard, pour se faire remarquer parmi la foule et sous son déguisement, jeté des petits grains sucrés à son bon ami qui passait, et rien n'est plus naturel que celui qui avait été atteint ainsi se soit retourné et ait découvert son espiègle amie; ceci est devenu maintenant un usage général, et l'on voit souvent après un jet pareil une paire de visages amis se rencontrer. Pourtant on est d'une part trop économe pour prodiguer des sucreries véritables, et d'autre part l'abus de ces projectiles a rendu nécessaires des provisions plus grandes et à meilleur marché.

C'est maintenant une industrie spéciale de fabriquer à l'aide d'un entonnoir de petites boules de plâtre qui ont l'apparence de dragées et de les porter dans de grandes corbeilles à travers la foule pour les vendre.

Personne n'est à l'abri d'une attaque; chacun est sur la défensive, et ainsi se produit par espièglerie ou par nécessité tantôt ici et tantôt là un duel, une escarmouche ou une bataille. Piétons, gens en voiture, spectateurs aux fenêtres, sur les tribunes ou sur les chaises s'attaquent réciproquement et se défendent les uns contre les autres. […]

Les rues adjacentes

L'épouvantable cohue que nous avons cherché à représenter autant que possible à nos lecteurs force naturellement une foule de masques à quitter le Corso pour gagner les rues voisines. Là des couples d'amoureux se promènent ensemble d'une manière plus tranquille et plus intime, là de gais compagnons trouvent de la place pour représenter toutes sortes de spectacles extravagants.

Une troupe d'hommes en habits de dimanche du bas peuple, avec de courtes vestes recouvrant des gilets galonnés d'or, les cheveux enfermés dans une longue résille pendante, se promènent avec des jeunes gens déguisés en femmes. L'une de ces dernières semble être dans un état de grossesse avancée; ils vont et viennent paisiblement. Tout d'un coup la discorde se met parmi les hommes, il se produit une vive altercation, les femmes s'en mêlent, l'affaire devient toujours pire; finalement les combattants tirent de grands couteaux de carton argenté et s'attaquent les uns les autres. Les femmes les séparent avec des cris affreux, on tire l'un par-ci, l'autre par-là, les assistants se mettent de la partie comme s'il s'agissait d'une chose sérieuse, on tâche d'apaiser chaque parti.

Sur ces entrefaits la femme enceinte se trouve mal par suite de la frayeur; on apporte une chaise, les autres femmes l'assistent, elle se démène d'une manière lamentable, et à l'improviste elle met au monde, à la grande joie des assistants, un être informe quelconque. La représentation est terminée, et la troupe s'en va jouer la même farce, ou une autre semblable, à un autre endroit. […]

Mercredi des cendres

Ainsi une fête effrénée est passée comme un songe, comme un conte de fées, et il en reste peut-être moins dans l'âme à ceux qui y ont pris part qu'à nos lecteurs, à l'imagination et à l'intelligence desquelles nous avons présenté le tout dans son ensemble.

Si au cours de ces folies le grossier Polichinelle nous a rappelé incongrument les plaisirs de l'amour auxquels nous devons notre existence, si une «Baubo» profane sur la place publique les mystères de l'enfantement, si tant de bougies allumées pendant la nuit nous rappellent la cérémonie suprême, notre attention est attirée au milieu de l'extravagance sur les scènes les plus importantes de notre existence.

La rue étroite, longue et toute pleine de monde nous rappelle davantage encore les chemins de la vie de ce monde, où chaque spectateur et participant, au visage découvert ou masqué, n'embrasse du regard depuis le balcon ou la tribune qu'un petit espace devant lui et à ses côtés, n'avance en voiture ou à pied que pas à pas, est plus poussé qu'il ne marche, plus retenu qu'il ne s'arrête de plein gré, et ne cherche

Le cortège du roi Carnaval.

qu'avec plus d'ardeur à arriver là où les choses se passent mieux et plus gaiement, puis se trouve de nouveau là aussi dans l'embarras et finit par être évincé.

S'il nous est permis de continuer à parler plus sérieusement que le sujet ne semble le permettre, nous ferons la remarque que les plaisirs les plus vifs et les plus grands ne nous apparaissent et ne nous impressionnent qu'un moment comme les chevaux passant au vol devant nous, et laissent à peine une trace dans notre âme, que la liberté et l'égalité ne peuvent être goûtées que dans le vertige de la folie, et que le plus grand plaisir ne séduit au plus haut point que quand il côtoie de tout près le danger et qu'il jouit dans son voisinage de sensations voluptueuses à la fois anxieuses et douces.

Et ainsi nous aurions, sans y penser nous-même, terminé aussi notre carnaval par une méditation de mercredi des Cendres, par laquelle nous ne craignons pas de rendre triste aucun de nos lecteurs. Nous souhaitons plutôt que, comme à l'instar du carnaval de Rome la vie en général est quelque chose qu'il est impossible d'embrasser du regard, dont on ne peut jouir et qui même est plein de dangers, chacun soit amené par cette insouciante réunion de masques à se rappeler l'importance de chaque jouissance momentanée, souvent de peu d'apparence, que l'existence peut procurer.

Goethe, *Voyage en Italie*,
Traduction de Maurice Mutterer,
Paris, Champion, 1931

Les masques, les morts

Larvae, *«fantômes», tel est le terme que, depuis le haut Moyen Age, les clercs utilisent pour désigner et condamner les masques du carnaval. Pourtant les revenants, ceux qui effectuent sur terre leur pénitence et tourmentent les vivants, ne portent pas de masque. Le masque en effet n'«imite» pas le mort mais signifie le terrible passage entre ici-bas et au-delà, et tout carnaval s'active, se déploie, dans ces parages.*

Un masque de Lucerne.

«Jouer avec la mort, risquer sa vie»

Pourquoi est-il si nécessaire de jouer les morts? Pourquoi le rideau de théâtre se nomme encore «manteau d'Arlequin»? Pourquoi se masquent les guerriers médiévaux?

Les masques, dit-on «représentent» les morts, mais que reste-t-il, au terme de cette enquête, de cette affirmation? Le paradoxe est que cette représentation est partagée entre, d'une part, une figuration des revenants comme des hommes vivants, dont le visage ordinaire est exempt de toute trace de masque : une image fidèle à celle, traditionnelle, des âmes du paradis ou de l'enfer dépeintes comme des vivants; et d'autre part des masques de démons, de femmes et de bêtes. Rares sont – du moins avant l'éclosion du macabre – les représentations de têtes de mort (une seule est figurée, recouverte d'une peau noire).

La vérité est que ces masques ne «représentent» pas les morts qui reviennent, ni même peut-être les démons auxquels certains d'entre eux étaient plus ou moins identifiés, mais plutôt *le fait* qu'ils reviennent, ou mieux encore, la nécessité pour le travesti de jouer ce retour. Le revenant transgresse les limites du visible et de l'invisible, du monde des vivants et du monde des morts; l'homme qui, sur scène ou dans le charivari, joue ce rôle, transgresse lui-même, en sens inverse pourrait-on dire, ces limites; il ne peut le faire qu'en prenant la «figure» de toutes les transgressions, en abolissant dans son apparence les limites essentielles d'une anthropologie qui définit l'homme en l'opposant aux démons, aux bêtes et aux femmes. Avant le bas Moyen Age macabre, les morts gardent encore beau

Diables autrichiens.

visage et la Mort reste le plus souvent au-delà de toute représentation mais jouer les morts exige un masque terrible. Ce masque n'est jamais la réplique fidèle, identifiable avec certitude, de la face du diable, d'un animal ou d'une femme. Tous les traits se mêlent, insaisissables et d'autant plus inquiétants. Une constante existe pourtant : la gueule, la bouche étirée, ouverte sur deux rangées de dents, image menaçante de *Mors*, morsure par excellence, ou phantasme de la femme dévorante. Ce n'est pas un hasard si les noms qui désignent le masque – *larva, masca, maschera, Maske* – sont toujours féminins (à l'exception de leur équivalent en français moderne); pareillement la *vetula*-sorcière prête son visage à certains masques, et des veilles femmes fardées on dit qu'elles sont masquées *(larvatae)*. [...] Dans la figure du masque se confondent l'expression du péril de la mort et celle de la puissance maléfique des femmes.

On ne prend pas impunément de tels masques. Jouer les morts c'est aussi jouer avec la mort, risquer sa vie. J'en prends pour preuves les nombreux récits de mascarade dans les églises et les cimetières qui s'achèvent par la mort terrifiante des masques, frappés par le feu du ciel ou engloutis dans la terre qui s'ouvre sous leurs pas. Rappelant aussi le «fol visage» du vieillard tournoyeur, il me semble que le heaume de chevalier qui, en lice ou sur le champ de bataille, joue avec la mort, est une manière de masque : au-delà de sa fonction de protection, le heaume, comme le masque, dissimule le visage du guerrier, et surtout, à l'instar des masques du folklore, il se couvre d'un cimier où s'accumulent plumes, fourrures, gueules et becs monstrueux. Dans de riches armures des XVe-XVIe siècles, le heaume prend l'apparence d'une tête de lion; dès le XIVe siècle, en Angleterre, la partie supérieure du heaume est appelée «*visor*», ou «*vizor*», «*viser*», qui a le double sens de visière et de masque, et je note aussi, chez Froissart, le rapprochement de l'armure des chevaliers et des travestissements du charivari.

Les masques effraient parce qu'en exprimant l'altérité sans visage de la mort, ils risquent d'attirer celle-ci sur ceux qui les portent, ou de la jeter sur ceux qu'ils fixent de leur regard vide. Et pourtant la mascarade est un jeu (*ludus*) qui provoque aussi les rires. Des rires divers il est vrai : rictus figé chez les victimes du charivari, railleries menaçantes des jeunes gens masqués, dont les masques renvoient comme l'écho de la «*cachinnatio*» réjouie des diables d'enfer. Dans les masques les jeunes *(juvenes)* qui ainsi jouent les morts et avec la mort, n'essaient-ils pas aussi de se rassurer en riant, voire même – mais en vain car la mort toujours est gagnante – de se jouer de la mort?

Jean-Claude Schmitt,
in *Religione, folklore e societa nell'Occidente medievale,*
Bari, 1988

Préparation de la danse du feu de joie à Mohács, Hongrie.

Les fantômes de novembre

Félix Platter, étudiant bâlois, arrive à Montpellier pour la Toussaint de 1552. Il vient là, comme Rabelais, pour devenir un docte médecin. Mais la mort le surprend : mort visible des condamnés, mort mimée des masques blancs du «jour des morts» qui font la fête dans les rues.

La chaleur était accablante, à un moment de l'année où dans notre pays l'on est en plein hiver. Maître Michel était enchanté d'approcher de chez lui; j'étais heureux moi-même à l'idée de me trouver à Montpellier avant le soir. Nous atteignîmes Chambéry, qui est l'endroit jusqu'où les Allemands de Montpellier ont coutume de se faire la conduite, quand l'un d'eux quitte cette ville. A quelque distance de là, on arrive sur une hauteur où se trouve une croix, et d'où l'on aperçoit pour la première fois Montpellier et la haute mer. Un peu plus loin, on traverse le pont qui est près de l'auberge de Castelnau, et l'on passe ensuite à côté du lieu des exécutions, qui se trouve dans les champs en face de la ville. Des quartiers de chair humaine pendaient aux oliviers; cette vue me causa une impression étrange. Enfin, avec l'aide de Dieu, nous franchîmes les portes de Montpellier, un dimanche soir de bonne heure. Je priai le seigneur de m'accorder la grâce d'achever mes études dans cette ville, et de retourner ensuite sain et sauf dans ma patrie auprès des miens.

En entrant, nous rencontrâmes un grand nombre d'habitants, de la noblesse et autres, enveloppés de longues chemises blanches, et parcourant les rues, précédés d'instruments à corde et de bannières. Ils tenaient à la main des coquilles d'argent pleines de dragées, et frappaient dessus avec des cuillers de même métal, pour offrir leurs sucreries à toutes les jolies filles qu'ils trouvaient sur leur passage. Ce spectacle dissipa un peu mes sombres pensées.

Felix et Thomas Platter
à Montpellier.
Notes de voyages
de deux étudiants bâlois,
Montpellier, Coulet, 1892

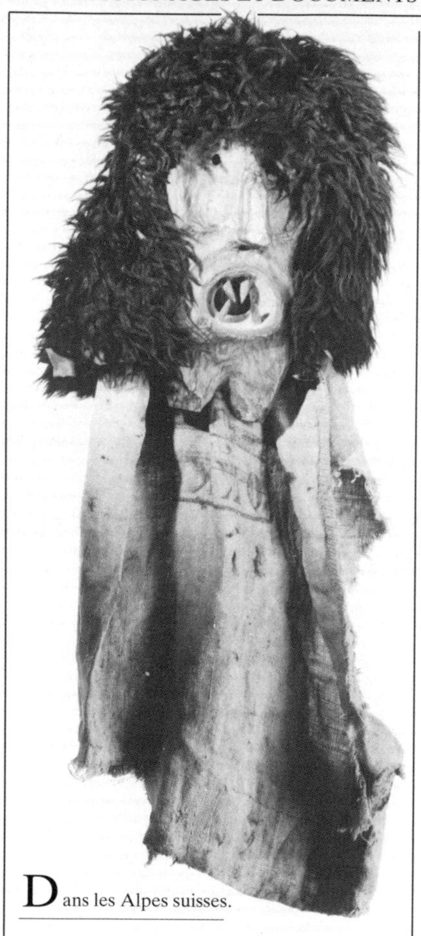

Dans les Alpes suisses.

Juvéniles revenants

Carlo Levi, médecin et peintre, fut exilé par Mussolini en 1935-1936 dans un petit village des Pouilles, en Italie du Sud, qu'il nomme Gagliano. Les cupi-cupi, *tambours à friction des gamins qui quêtent à Noël, et les* maschere *du carnaval font apparition dans son récit comme des êtres d'un autre temps.*

Le Carnaval arriva, tout à fait inattendu, anachronique. Il n'y a, à cette occasion, à Gagliano, ni fêtes, ni jeux : au point que j'en avais oublié l'existence; je m'en souvins un jour que je me promenais dans la rue principale, passé la place, en voyant surgir d'en bas trois fantômes vêtus de blanc qui remontaient la route en courant à toute allure. Ils avançaient par bonds et hurlaient comme des bêtes féroces, s'exaltant à leurs propres cris. C'étaient des masques paysans. Tout blancs avec sur la tête des bérets ou des bas blancs qui pendaient d'un côté et des plumes blanches; le visage enfariné, ils allaient vêtus de chemises blanches et chaussés de blanc. Ils tenaient à la main des peaux de brebis séchées, enroulées comme des bâtons, qu'ils brandissaient, d'un air menaçant. Ils frappaient sur le dos et sur la tête tous ceux qui ne s'écartaient pas à temps. Ils semblaient des démons déchaînés, pleins d'un enthousiasme féroce pour cet unique moment de folie et d'impunité, plus folle et plus imprévisible encore dans cette ambiance de vertu. Je me rappelai la nuit de la Saint-Jean à Rome, lorsque les jeunes gens vont partout, frappant autour d'eux avec des grosses têtes d'ail, mais cette nuit-là était nuit de liesse collective et phallique, nuit de bombance devant d'énormes plats d'escargots, avec ses feux, ses chants, ses danses et ses amours, sous la tiédeur clémente d'un ciel d'été. Les masques de Gagliano étaient solitaires au contraire, dans leur sombre folie, un peu forcée; ils se consolaient de leurs privations et de leur esclavage par ce simulacre de liberté excessive et féroce. Les trois fantômes blancs frappaient sans pitié tous ceux qui étaient à leur portée, sans distinction, puisque pour une fois, tout était permis, entre seigneurs et paysans. Pris de fureur, criant comme des possédés,

Dans les rues de Bâle.

secouant dans leurs bonds les plumes blanches, semblables à des amoks cruels ou à des danseurs d'une danse sacrée de la terreur, ils tenaient toute la route par leurs sauts obliques. Ils disparurent derrière l'église, aussi rapidement qu'ils étaient apparus. Alors les enfants aussi commencèrent à se promener, le visage barbouillé de noir et des moustaches peintes avec des bouchons noircis. Un jour, une vingtaine d'entre eux arrivèrent chez moi ainsi maquillés. Je leur dis qu'il serait facile de s'affubler de véritables masques et ils me prièrent d'en fabriquer. Je me mis au travail et je leur fis, avec des cylindres en papier blanc, troués à la place des yeux, de grands masques recouvrant entièrement le visage. Je ne sais pourquoi – peut être souvenir des masques funèbres des paysans, ou poussé, sans le vouloir, par le génie du lieu – je les fis tous pareils, peints de blanc et de noir : des têtes de mort, avec les cavités noires des orbites et du nez, les dents sans lèvres. Les enfants ne s'effrayèrent pas, ils en furent, au contraire, ravis et s'empressèrent de les mettre. Ils en passèrent même un au museau de Barone [le chien de C. Levi] et s'en allèrent en courant, s'éparpillant dans les maisons du village. Il faisait presque nuit, et cette vingtaine de spectres entrait en criant dans les pièces à peine éclairées par les feux rouges des âtres ou par la lumière vacillante des lampes à huile. Les femmes fuyaient, atterrées, parce qu'ici tout symbole est réel et ces vingt gamins étaient vraiment, ce soir-là, un triomphe de la mort.

Carlo Levi, *Le Christ s'est arrêté à Eboli,*
Traduction de Jeanne Modigliani,
Paris, Gallimard, 1948

Carnaval à côté

Les grandes religions historiques du pourtour méditerranéen ont, chacune à leur manière, dû faire place au carnaval en l'inscrivant dans leur calendrier. Le christianisme l'a associé au carême et donc aux préliminaires de Pâques. A une demi-lunaison de cette fête, le judaïsme avait déjà placé Pourim. Quant à l'islam, il a, au Maghreb, situé les mascarades au seuil mobile de son année lunaire. Mais les trois fêtes restent sous l'empire du même paradoxe. Fermement inscrites dans le temps religieux, elles apparaissent, à des degrés divers, comme des échappées, des parenthèses païennes.

דער יום-טוב פורים

La fête de Pourim (ci-contre en haut), dans un *shtetl* polonais au début du siècle.

Pourim, le carnaval juif

A Roustchouk, sur le Danube inférieur, en Bulgarie, Elias Canetti appartient à une communauté de sépharades espagnols que côtoient des Grecs, des Albanais, des Turcs, des Arméniens, des Tziganes, et pour lesquels la fête est signe de reconnaissance. Venu au monde en 1905, il se remémore les Pourim *de son enfance.*

Pourim était la fête qui nous impressionnait le plus étant enfant, encore que tout petits, nous n'y participions pas réellement. Par cette fête placée sous le signe de la joie, on commémorait le sauvetage des Juifs

soustraits aux griffes de Haman, le méchant persécuteur. Haman était une figure bien connue et son nom était entré dans le langage de tous les jours. Avant d'apprendre que Haman était un homme qui avait réellement vécu et tramé des choses effroyables, je connaissais déjà son nom, souvent employé comme juron. Quand j'importunais les adultes avec mes incessantes questions, ou quand je ne voulais pas aller me coucher, ou quand je ne faisais pas quelque chose qu'on me demandait de faire, alors on poussait ce soupir : «Haman!» et je savais qu'on ne plaisantait plus, maintenant c'était assez. «Haman» était le dernier mot, un gros soupir mais aussi un avertissement; je fus très étonné quand, un peu plus tard, on m'expliqua que Haman était aussi un méchant homme qui voulait tuer tous les Juifs. Mais il avait échoué dans son entreprise grâce à Mordeccai et à la reine Esther, ce dont les Juifs se réjouissaient en fêtant Pourim.

Les adultes se déguisaient et sortaient, il y avait du vacarme venant de la rue, des masques faisaient irruption dans la maison, je ne savais pas qui ils dissimulaient, c'était comme dans les contes, les parents ne rentraient que très tard dans la nuit, l'excitation générale nous gagnait aussi, nous, les enfants, et j'étais couché dans mon petit lit, bien réveillé, dressant l'oreille. Les parents se montraient parfois masqués, ensuite ils enlevaient le masque, c'était très amusant mais, moi, je préférais ne pas savoir que c'étaient eux.

Une nuit, comme j'avais fini par m'endormir, je fus réveillé par un gigantesque loup penché sur mon petit lit. Une longue langue rouge pendait de sa gueule et il grondait sourdement. Je m'écriai à tue-tête : «Un loup! Un loup!» Personne ne m'entendit, personne ne vint, je criai plus fort, pleurant tout à la fois. Une main surgit alors, empoigna le loup par les oreilles et lui tira la tête vers le bas. Mon père se tenait là, riant aux éclats. Je continuai à crier : «Un loup! Un loup!» Je voulais que mon père le chasse. Il me montra le masque du loup dans sa main, je ne pouvais le croire, il avait beau répéter : «Tu vois bien que c'était moi, que ce n'était pas un vrai loup», je ne pouvais me calmer et je continuais à pleurer et à sangloter.

Ainsi l'histoire du loup-garou était-elle devenue vraie. Mon père ne savait sûrement pas ce que les fillettes me racontaient quand on restait seuls, entassés dans l'obscurité. Ma mère s'en voulait de m'avoir raconté son histoire [...], mais elle reprochait encore davantage à mon père son goût immodéré de la mascarade. Ce qu'il aimait par-dessus tout, c'était jouer comme au théâtre. Quand il était à l'école, à Vienne, son plus cher désir était de devenir acteur. Mais à Roustchouk, on le coinça impitoyablement dans l'affaire paternelle. Il y avait bien là un théâtre d'amateurs, sur la scène duquel il se produisait d'ailleurs avec ma mère, mais qu'était cela comparé aux rêves viennois de naguère. Absolument déchaîné, dit ma mère, voilà comment il s'était montré pendant la fête de Pourim. Il avait changé de masque plusieurs fois de suite, se montrant à la surprise, voire à l'effroi, de ses amis et connaissances sous les dehors les plus bizarres.

Elias Canetti,
Histoire d'une jeunesse, la langue sauvée,
Paris, Albin Michel, 1980

La mascarade berbère

Au dixième jour du premier mois de l'année lunaire a lieu chez tous les musulmans la fête du sacrifice, l'Aït el Kebir. Elle est suivie, trente jours plus tard, de l'Achoura, la fête des morts. Mais entre les deux se glissent des parades masquées, des jeux théâtraux, un luxuriant carnaval.

Le mot est arabe et signifie «homme vêtu de peaux». Ses correspondants berbères : *bu-ilmaun, bilmaun, bubtain, bu-isliyen* ou *tagesduft* sont constitués, sauf ce dernier, d'une même particule *bu* suivie d'un mot signifiant «peau». Boujloud est en effet revêtu de peaux de mouton ou de chèvre provenant des victimes sacrifiées le premier jour de l'Aïd. Ces peaux sont plaquées à même sur son corps nu. Celle qui lui couvre les bras est disposée de manière à laisser les sabots pendant au bout des mains. Sa figure noircie à la suie ou avec de la poudre disparaît sous une vieille outre à battre le beurre qui lui sert de masque. Sa tête est agrémentée de cornes de vache ou coiffée d'une tête de mouton dont les mâchoires écartées par un bout de roseau lui font faire la plus horrible grimace; une orange garnie d'un bouquet de plumes est souvent piquée à l'extrémité de chaque corne; des branches de verdure lui couvrent parfois la tête ou les épaules; mais ce dernier accessoire n'apparaît que sporadiquement, à Tanger par exemple.

Enfin deux ou trois colliers, un immense chapelet aux grains faits de coquilles d'escargots, et de puissants attributs de mâle complètent l'accoutrement du personnage hideux qu'est Boujloud.

D'une manière générale, un seul individu par *douar,* village ou fraction de tribu, se déguise de la sorte; mais il est fréquent, dans les villes surtout, d'en voir trois ou quatre revêtir ce déguisement et jouer le rôle que voici. Escorté par des joueurs de hautbois et de tambourins et d'une suite nombreuse d'enfants qui l'injurient et lui jettent des pierres, Boujloud se promène silencieux autour du *douar* ou dans l'*ighrem*. Il va d'une tente ou d'une maison à l'autre, s'arrêtant parfois pour esquisser quelques pas de danse et pour se livrer à une parodie grotesque de la prière musulmane. Il rend visite aux notables de l'endroit, pacha, caïd, *amghar* ou *ineflas* et même au marabout, au *moqqadem* de la *zaouïa* qui l'accueillent avec plus ou moins de générosité mais toujours avec joie. Il pénètre dans les maisons, poursuit les enfants qui se sauvent effrayés à sa vue et frappe tous ceux qui se trouvent à la portée de ses longues baguettes. Car Boujloud est toujours muni d'une ou de deux longues baguettes, lesquelles, en certains endroits, ne mesurent pas moins de quatre à cinq mètres. Frapper hommes et femmes et toucher les *flij* des tentes de ces baguettes semble même constituer la partie la plus importante de son rôle.

Lorsque Boujloud n'est pas armé d'un bâton, ce qui est l'exception, il frappe avec ses sabots ou avec une pierre attaché dans le morceau de peau qui lui recouvre la main droite. Ce qui laisserait supposer qu'il doit frapper de préférence avec ses sabots, c'est que parfois un pied de mouton ou de bouc est solidement fixé au bout de ses baguettes. Si l'on fuit devant lui, ce ne peut être par crainte des coups. [...] Les Imjadh achètent des poules et clôturent fêtes et repas par une invocation de ce genre :

«Ô Dieu! donne-nous l'aisance!
Ô Dieu! accorde-nous ton pardon et
gratifie-nous d'une bonne année»

Les Beni-Iznacen disent en de mêmes circonstances :

«Ô Dieu! donne-nous la pluie!»

Le Carnaval se termine par un banquet et une invocation dont le caractère sacré ne paraît pas devoir être mis en doute. Il serait faux d'autre part de ne considérer, dans la procession de Boujloud, que le seul côté burlesque. Les Indigènes semblent attacher à cette pratique une importance réelle que le seul attrait du spectacle ne saurait justifier. Les acteurs, choisis parmi les gens de basse condition, bergers, *khammès* et voleurs, ou parmi des représentants d'une même famille, ne trouvent pas toujours un plaisir extrême à s'exhiber ainsi en public; parfois, c'est l'*amghar* ou la communauté qui procède à l'acquisition des peaux dont se revêtira Boujloud. Celui-ci, en plus du produit de la quête, reçoit souvent un salaire; dans les tribus du Djebel, un ou plusieurs individus sont loués pour les sept jours de la fête, on les déguise comme il vient d'être dit, puis on les promène dans les *ddchar.* Le rôle de Boujloud n'est-il pas de première importance. Il guérit les malades et immunise contre tout danger ceux qu'il a touchés. En d'autres termes, la cérémonie dont il est l'acteur essentiel semble avoir pour objet d'attirer les bénédictions sur les familles et de détourner d'elles les maux et les ennuis pour l'année qui commence.

E. Laourt,
«Noms et cérémonies
des feux de joie chez les Berbères»,
Hesperis, tome I, 3e trimestre 1921

Les masques vivants

Au cœur des carnavals vivants, le masque n'est pas simple faux visage mais corps recomposé avec son port, son allure, ses gestes porteurs de sens.

Les Mamutones de Sardaigne (page de droite, en bas) et les Tsäggätä du Valais suisse (à gauche) incarnent l'irruption, inquiétante mais positive, des forces sauvages. Le Gille de Binche (ci-contre), en Hainaut, est, lui, ambivalent. Le bas du corps – lourdes chaussures, ceinture de sonnailles –, le *ramon* qu'il brandit perpétuent la référence paysanne. Le chapeau à plumes d'autruche, les dentelles, le visage de cire et le panier d'oranges l'installent au contraire dans l'emblématique bourgeoise.

Les Paillasses de Cournonterral, dans l'Hérault (ci-dessous), avec leur buste gonflé de paille, leur bouquet de rameaux de buis vert planté verticalement dans les coutures des épaules, leur gibus couronné de plumes, règnent le jour du mardi gras. Dans la lie du vin, ils roulent tous ceux qu'ils capturent, garçons blancs qui filent à toute allure, filles audacieuses et naïves, les confondant sous la même matière excrémentielle et fertile.

Cournonterral : la chasse aux filles.

Scènes du carnaval de Mamoiada (Sardaigne) : à gauche, porteur de clochettes; à droite, fileuse.

Le carnaval en d'autres mondes

Né en Europe occidentale, le carnaval a suivi les navigateurs et les conquérants partout où le christianisme a converti les foules et, d'abord, en Amérique. Mais quelles différences entre les grandes fêtes urbaines de Rio de Janeiro et les rites agraires du Mexique ou des Andes, entre le Halloween réinventé par les émigrés des Etats-Unis et le carnaval des confréries haïtiennes.

En Amérique latine, carnaval au pluriel

Il ressort d'un certain nombre d'études de différentes époques que, dans les colonies espagnoles, deux types distincts de carnaval auraient coexisté jusqu'à nos jours : un carnaval villageois et un carnaval urbain.

En 1949, Augusto Raul Cortazar décrivit le carnaval villageois de la vallée de Calchaqui, en Argentine, appelé aussi *antruido*. La fête débutait par une cavalcade de garçons et de filles, invitant les gens du village et de ses alentours à venir s'amuser avec eux pendant les trois jours qui précédaient le mercredi des Cendres. Un grand déjeuner réunissait ensuite tous les gens du voisinage. Pendant les jours consacrés à la fête, on dansait sur des airs folkloriques et l'on se livrait à toute sorte de jeux; les paysans se bombardaient de coquilles d'œuf remplies d'eau, de boulettes de farine, de fragments de papier. Un mannequin de chiffons – le traditionnel Pujllay – était promené à dos d'âne dans les rues, pendant tout l'après-midi du Mardi gras, suivi d'un cortège de masques dansant et chantant. A mesure que la nuit tombait, des pleurs et des cris plaintifs remplaçaient les chansons, le cortège devenait funèbre. Pujllay était finalement enterré sous un arbre, en dehors du village. D'après des ouvrages plus récents, des fêtes du même type ont encore lieu actuellement en Argentine, ainsi qu'en Bolivie, en Colombie, au Mexique, etc. Le schéma général est à peu près le même partout, avec des différences de détail. Les masques, par exemple, ne jouaient qu'un rôle secondaire dans la vallée de Calchaqui, mais à Jujuy – toujours en Argentine – leur importance était grande. Dans la région de Papantla, au Mexique, la fête durait sept jours au lieu de trois, alors que dans le village de Ichcatepec elle durait toujours trois jours, mais là, le thème central était celui de l'expulsion des diables, représentés par des masques grotesques. Sur les hauts plateaux boliviens, un cortège somptueux et des combats simulés entre groupes masqués constituaient le clou de la fête. En dehors de ces variantes, partout où il existe encore en Amérique espagnole, le carnaval villageois est intimement lié au carême et à la semaine sainte, et ne peut être compris isolément de ce contexte.

Les mêmes éléments traditionnels de base se retrouvent donc un peu partout : défilés de masques; batailles de boulettes de farine, de coquilles d'œuf remplies d'eau, de petits morceaux de papier; musique, chants et danses très bruyants; enterrement ou destruction d'un personnage fait de chiffons ou de paille qui représente le carnaval; défilés somptueux ou dérisoires; repas copieux dans lesquels certains mets sont consommés. Dans quelques régions, la fête est parfois associée également au partage du bétail et aux semailles.

Outre le carnaval rural, l'Amérique espagnole avait aussi un carnaval urbain qui s'est maintenu jusqu'à nos jours. Au Mexique, par exemple, dans la province de Veracruz, le carnaval du village de Papantla ne ressemble pas au carnaval justement célèbre de la capitale de la province. Dans cette ville, la fête débute le samedi gras par l'arrivée du Roi du Carnaval, à la tête d'un cortège d'automobiles remplies de masques; la population chante et danse dans la rue. La Reine du Carnaval est choisie et couronnée dans la soirée du dimanche et, pendant les trois nuits suivantes, on danse sans arrêt dans les rues, dans les clubs, dans les théâtres. Le soir du Mardi gras, un grand défilé de chars richement décorés parcourt les rues du centre de la ville et le mannequin de Juan Carnaval est finalement enterré le lendemain; les masques, un voile noir hâtivement jeté sur leurs costumes, suivent en pleurs le convoi funèbre.

Carnaval de Olinda, Brésil.

Le carnaval des grandes villes de l'Amérique espagnole comportait les éléments que nous venons d'énumérer. En 1970 encore, la folkloriste espagnole Nieves de Hoyos Sancho le retrouve inchangé dans les capitales du Panama, de Cuba, du Venezuela, du Chili, de l'Uruguay, de l'Argentine; elle remarque

qu'il était fait partout un abondant usage de confetti, de serpentins et de «lance-parfums». Les diverses catégories sociales restaient séparées pendant ces fêtes : costumés avec recherche, les gens riches paradaient en voiture dans les avenues du centre de la ville, tandis que le menu peuple, à pied, formait des cortèges dansants. Toute la ville était en fête, mais chaque classe de la société restait à sa place. […]

Aujourd'hui, la fête change

Nous avons ainsi repéré deux processus aujourd'hui en cours en Amérique espagnole : l'un se rapporte au carnaval des villages, l'autre au carnaval des villes. Dans les villages, le carnaval semble en train de perdre certains des éléments qu'il conservait depuis la période de la colonisation et connaît une laïcisation certaine, au contact de la culture urbaine, cette transformation s'inscrivant dans les modifications générales subies par le monde paysan, toujours sous l'influence de la ville. Dans les cités, le carnaval des nantis semble en voie de disparition; le carnaval des petites gens quant à lui continue d'exister et il témoigne même d'une grande vitalité; il s'agit là d'une «popularisation» du carnaval des villes – popularisation qu'expliquerait peut-être le fait des crises économiques. Dans les deux cas, la transformation du carnaval semble étroitement liée à celle de la société globale dont il relève. […]

A partir de 1940, le carnaval brésilien entre dans une phase nouvelle. Les quelques recherches récemment effectuées montrent que la disparition du carnaval vénitien fut rapide et totale. Seuls continuèrent d'exister les bals costumés, dont l'accès restait restreint; corso, batailles de confetti, défilés de chars allégoriques disparurent vers le début des années 50. Les cortèges des *ranchos* prirent, au contraire, une importance de plus en plus grande, surtout à Rio de Janeiro, tenue pour «capitale du carnaval brésilien». Sous une nouvelle dénomination – *escolas de samba* –, ces groupes s'organisèrent en associations qui se produisent toute l'année. Les riches abandonnèrent les festivités carnavalesques, ne conservant que les bals masqués, qui leur permettaient de continuer à étaler leur luxe et où l'on s'amuse entre soi, l'exclusivité étant assurée par le prix élevé des billets d'entrée; ils se transformèrent eux-mêmes en spectateurs, payant cher leur place dans les gradins pour regarder danser les *escolas de sambas*.

Mais cette transformation, évidente à Rio de Janeiro, n'a pas été partout la même; dans d'autres villes du pays, l'évolution qui s'est faite à partir du carnaval vénitien a suivi une voie différente, bien qu'elle ait eu lieu à la même époque. A Salvador (Bahia), par exemple, deux formes d'expression se développèrent alors : les *cordões* et les *trios elétricos*. Le *cordão*, frère du *rancho*, est apparu dans les milieux populaires de la ville pendant la période du carnaval vénitien, mais au lieu d'évoluer vers l'*escola de samba* (comme à Rio de Janeiro), il est devenu peu à peu le groupe carnavalesque par excellence, et cela dans toutes les classes sociales. Ceux qui forment un *cordão* portent les mêmes costumes et défilent en musique entourés d'une corde (en portugais *cordão*); maintenue en place par des bras vigoureux, elle protège les participants des assauts du public. Les *trios elétricos* datent d'une vingtaine d'années; leur apparition coïncide avec la disparition du carnaval vénitien. Ils se composent de camions aux décorations extravagantes, puissamment colorées, copieusement illuminées, transportant des musiciens dont les rythmes bruyants sont diffusés par haut-parleurs. Des grandes firmes, d'importantes maisons de commerce les financent. La foule dansante – hommes, femmes, enfants – les entoure alors qu'ils se déplacent lentement dans les rues de la ville. Danser autour du *trio elétrico* n'exige aucun dépense, si ce n'est physique…

Appartenir à un *cordão,* au contraire, entraîne des frais de costume. Celui-ci a beau être sommaire (il s'agit en général, pour hommes, femmes, enfants, sans distinction, d'une longue camisole aux couleurs voyantes), il faut l'acheter chaque fois, puisque le costume de chaque *cordão* change d'une année à l'autre. Cet uniforme permet aux membres du *cordão* de se reconnaître de loin dans la foule; par ailleurs, seuls les membres qui l'ont revêtu peuvent prendre place à l'intérieur de l'enceinte de corde. Le costume devient ainsi instrument de différenciation socio-économique et symbole social. La population de la ville de Salvador danse dans les rues de 9 heures du matin à 9 heures du soir sans que s'effacent les marques distinctives de la hiérarchie

Carnaval de Rio, Brésil.

socio-économique. Vers 11 heures du soir, le clivage devient beaucoup plus net encore : les bals costumés commencent alors dans les théâtres et les clubs, où ne sont admis, moyennant paiement, que les membres et leurs invités.

A côté des bals masqués, organisés partout de la même manière, la différence des festivités carnavalesques est frappante si l'on compare Rio de Janeiro et Salvador. A Rio, des représentants des classes populaires dansent dans la rue, et le beau monde assis sur les gradins les regardent défiler. A Salvador, toute la population danse dans la rue du matin au soir, mais en maintenant la hiérarchie socio-économique. Dans la rue, à Rio de Janeiro, la participation des riches est à présent passive. A Salvador, elle est active, les nantis sont isolés par l'enceinte de corde et leur costume.

A l'heure actuelle, le carnaval des grandes villes brésiliennes paraît suivre le modèle de Rio de Janeiro, avec les défilés des *escolas de samba* et les gradins bourrés de spectateurs qui payent fort cher leur place. Le modèle bahianais des *cordões* serait particulier aux villes moyennes et petites. Ainsi, deux types au moins de carnaval urbain semblent exister au Brésil; celui des grandes villes (à l'exception de Salvador); celui des villes moyennes et petites (plus Salvador). Dans les grandes villes, seul le petit peuple, représenté par les *escolas de samba*, danse dans les rues. Dans les villes moyennes et petites, toute la population danse dans la rue, mais sans que se mêlent riches et pauvres.

Maria Isaura Pereira de Queiroz, «Evolution du carnaval latino-américain», *Diogène*, n° 104, oct.-déc. 1978

Halloween

Dans les îles Britanniques, au soir du 31 octobre, on fête Halloween par des feux, des jeux, des farces et, surtout, des rites oraculaires qui visent à révéler l'avenir amoureux. Mais en Angleterre, la fête, marquée par la visite des morts et dont on admet qu'elle poursuit le *samhain* celtique, est absorbée par le Guy Fawkes' Day qui célèbre la découverte de la conjuration de Guy Fawkes, le 5 novembre 1605. Cette attraction n'a pas été immédiate et les colons partis vers les futurs Etats-Unis aux XVIIe et XVIIIe siècles ont conservé Halloween dans sa singularité et en ont remarquablement accentué les caractères funèbre et carnavalesque. Déguisements, défilés, ruées parfois violentes des masques ont fait d'Halloween, réactivé après 1975 par les milieux homosexuels, une grande fête de l'inversion mais son emprise culturelle dans l'Amérique contemporaine ressort, mieux encore peut-être, dans les coutumes des écoliers. Les voici relatées aujourd'hui par Lucienne (13 ans), aidée de son frère et de sa sœur :

«A Seattle, le matin, on se déguise, et puis on va à l'école déguisés en fantôme, en sorcière, en citrouille, des trucs comme ça. Il y en a qui se déguisent en fée, en Mickey, mais ce n'est pas la norme. Et les masques défilent dans l'école. Après la classe, quand il fait nuit, on remet les déguisements et on fait du porte à porte avec les petits voisins. Quand on sonne à une porte, on crie "*Trick or treat*", ça veut dire "Des bonbons ou des farces"; c'est comme une menace pour avoir des cadeaux. Devant les maisons, les gens ont mis des citrouilles avec une bougie qui brûle toutes les nuits pendant quinze jours à peu près. Les gens installent aussi des fantômes ou des squelettes aux fenêtres, ou encore un homme qui en assassine un autre, des mannequins en plastique gonflable.

Quelquefois, quand on rentre dans une maison, ça se met à gueuler de partout. Parce qu'ils ont enregistré des hurlements au magnétophone. Et puis – mais ça c'est une histoire, c'est pas pour de vrai – on dit que si tu vas dans des champs de citrouille la nuit de Halloween, il y a le *great pumkin*, la "grosse citrouille" qui arrive et attention! mais je ne sais pas ce qu'il fait. Les plus petits, les parents les portent, les accompagnent parce qu'ils considèrent que c'est dangereux; on raconte que des gens donnent des bonbons empoisonnés ou embarquent les enfants. On a très peur de ça, toujours. Et puis, normalement, à onze ans, tu ne fais plus la tournée.»

Daniel Fabre

BIBLIOGRAPHIE

Ouvrages généraux et monographies
– Bakhtine, Mikhail, *L'Œuvre de François Rabelais et la culture populaire au Moyen Age et sous la Renaissance*, Gallimard, Paris, 1972.
– Baroja, Julio Caro, *Le Carnaval*, Gallimard, Paris, 1979.
– D'Ayala, Pier Giovanni, et Boiteux, Martine, *Carnavals et Mascarades*, préface de Marc Augé, Nathan, Paris, 1988.
– Fabre, Daniel, et Camberoque, Charles, *La Fête en Languedoc, regards sur le carnaval aujourd'hui*, éditions Privat, Toulouse, 1990 (deuxième édition).
– Gaignebet, Claude, *Le Carnaval*, Payot, Paris, 1974; *A plus hault sens, l'ésotérisme spirituel et charnel de Rabelais*, éditions Maisonneuve, Paris, 1986.
– Le Roy Ladurie, Emmanuel, *Le Carnaval de Romans*, Gallimard, Paris, 1979.
– Rang, Florens Christian, *Psychologie historique du carnaval*, éditions Ombres, Toulouse, 1990.
– Rossi, Annabella, et De Simone, Roberto, *Carnevale si chiamava Vincenzo*, éditions De Luca, Rome, 1977.
– Vovelle, Michel, *Métamorphoses de la fête en Provence*, Flammarion, Paris, 1976.

A propos des origines
– Bottero, Jean, *La Religion babylonienne*, Presses universitaires de France, Paris, 1952.
– Glotz, Samuel, «Les Dénominations du carnaval», *Tradition wallonne*, n° 4, 1987, pp. 371-489.
– Meslin, Michel, *La Fête des kalendes de janvier dans l'Empire romain*, éditions Latomus, Bruxelles, 1970.
– Van Goudoever, Jan, *Fêtes et calendrier bibliques*, éditions Beauchesne, Paris, 1967.

Carnavals des champs
– Amades, Joan, *Costumari català, el curs de l'any*, tome 1, éditions Salvat, Barcelone, 1950.
– Anastassiadou, Iphigénie, «Deux Cérémonies de travestissement en Thrace», *L'Homme*, tome 16, n° 2-3, 1976, pp. 69-101.
– Brunet, Serge, «Le Carnaval en pays de Luchon», *Folklore*, revue d'ethnologie méridionale, n° 190-191, 1983, pp. 3-57.
– *Le Masque dans la tradition européenne*, catalogue dirigé par Samuel Glotz, Bruxelles, 1975.
– Mesnil, Marianne, *Les Héros d'une fête. Le beau, la bête et le tzigane*, Nathan, Bruxelles-Paris, 1980.
– Toschi, Paolo, *Le Origini del teatro italiano*, Boringhieri, Turin, 1955.
– Vallerant, Jacques, «A propos de la collection de masques du Lötschental», *Bulletin annuel*, n° 17-18, musée d'Ethnographie de Genève, 1975.

Carnavals des villes (Moyen Age et Renaissance)
– Davis, Nathalie Zemon, *Les Cultures du peuple*, éditions Aubier, Paris, 1979.
– Grinberg, Martine, «Carnaval et société urbaine, XIVe-XVIe siècles : le royaume dans la ville», *Ethnologie française*, tome 4, n° 3, 1974, pp. 215-244.
– Kinser, Sam, *Rabelais's Carnival*, Berkeley-Los Angeles, University Press, Oxford, 1990.
– Lefebvre, Joël, *Les Fols et la folie... en Allemagne pendant la Renaissance*, éditions Klincksieck, Paris, 1968.

Carnavals des cours
– Jones-Davies, Marie-Thérèse, *Inigo Jones, Ben Jonson et le masque*, éditions du CNRS, Paris, 1967.
– *Les Fêtes de la Renaissance*, éditions du CNRS, Paris, 1956-1975, 3 volumes.
– Mac Gowain, Margaret, *L'Art du ballet de cour en France*, éditions du CNRS, Paris, 1963.
– Reato, Danilo, *Storia del carnevale di Venezia*, Venise, 1988 (traduction française, Bordeaux, 1991).
– Strong, Roy, *Les Fêtes de la Renaissance*, Actes Sud, Arles, 1991.

Aujourd'hui, carnavals d'Europe et d'ailleurs
– Da Matta, Roberto, *Carnavals, bandits et héros*, Le Seuil, Paris, 1978.
– Faure, Alain, *Paris carême-prenant*, Hachette, Paris, 1978.
– Glotz, Samuel, *Le Carnaval de Binche*, Léau
– Kinser, Sam, *Carnival American Style*, Chicago University Press, Chicago et Londres, 1990.
– Marrot, Jacques, *Fêtes et carnaval dans la ville (Carcassonne 1790-1961)*, éditions Garae, Carcassonne, 1987.
– Sidro, Annie, *Le Carnaval de Nice et ses fous*, éditions Serre, Nice, 1979.

CHRONOLOGIE

Dix carnavals du monde

– Limoux (France). En janvier, l'arrivée des *Meuniers* ouvre la saison carnavalesque. Dès lors, chaque bande sort le dimanche – vers onze heures, dix-sept heures et vingt et une heures – en dansant sur le pas des *fécos*.

– Nice (France). L'énorme spectacle se veut la synthèse de tous les autres carnavals.
Le *corso* de vingt grands chars, les batailles de fleurs ont lieu dans les trois semaines autour du mardi gras.

– Bâle (Suisse). Vivant dès 1379, il est depuis le milieu du XIXe siècle organisé en «cliques» (plus de cent aujourd'hui) de fifres et de tambours.
Du lundi après le mercredi des Cendres au jeudi soir de la même semaine.

– Zurich (Suisse). Un carnaval nettement clivé : à côté du défilé organisé, une fête des vieux quartiers où les masques vont au rythme des *guggen*, des ensembles musicaux qui jouent faux à dessein.

– Malmédy (Belgique). Moins célèbre mais aussi intense que Binche, avec ses groupes de masques – boulangers, cordonniers, pierrots, *hayettes* munis d'un zigzag de bois pour attraper les femmes...
Le lundi gras se déroulent les *rôles*, pièces en wallon sur l'actualité locale.

– Grosselfingen (Allemagne). Un exemple des multiples carnavals actuels du Bade-Wurtemberg.
Commence par la Proclamation, le dimanche, dix jours avant mardi gras; les masques sortent à partir du jeudi gras. Un tribunal des fous (les *narro*) se tient pendant la fête.

– Venise (Italie). Il ressurgit spontanément en 1979, et organise, depuis 1980, des dizaines de spectacles. Une foule masquée se tient sur la place Saint-Marc pour le bal du mardi gras. On y trouve de moins en moins de Vénitiens.

– Haïti. En dépit de la misère et de la répression, un carnaval urbain organisé par des «bandes» côtoie un carnaval plus rural. Les liens entre *vodou* et masques sont parfois très forts.
De l'Epiphanie au mardi gras.

– La Nouvelle-Orléans (Etats-Unis). Parades des sociétés avec leur propre musique de jazz, très inventive.
Si les réceptions et les bals masqués commencent dès avant Noël, la fête de rue se concentre dans les dix jours précédant le mardi gras.

– Rio (Brésil). Il renvoie à tous les autres carnavals, très vivants au Brésil. Le défilé des écoles de samba dans un stade à elles, le *sambodromo*, est le moment où le haut et les marges de la société se regardent, se rencontrent.

TABLE DES ILLUSTRATIONS

COUVERTURE

OUVERTURE

CHAPITRE I

18-19 *Esther et Assuerus*, peinture de Lippi. Chantilly, musée Condé.
19b Fête de Pourim, gravure anonyme. Paris, Bibliothèque nationale.
20 *Mascarade à Persépolis*, dessin du Primatice. Paris, musée du Louvre.
21h Tête de Janus bifrontal. Rome, villa Giulia.
21b Le mois d'avril, gravure anonyme. Paris, bibliothèque des Arts décoratifs.
22 Fresque de Pompéi. Naples, Musée national.
23 Fresque de la villa des Mystères, Pompéi.
24-25 Scène de toilette, fresque de Pompéi. Naples, Musée national.
25h Apollon soleil et Diane, manuscrit du XIe siècle. Boulogne, Bibliothèque municipale.
26h Dionysos, masque en bronze découvert en Mésopotamie. Hatra.
26b Descente de croix et mise au tombeau, manuscrit du IXe siècle. Angers, Bibliothèque municipale.
27 *Saint Augustin*, peinture de P. della Francesca. Lisbonne, musée d'Art ancien.
28 Mosaïque de Dioscoride. Naples, Musée archéologique.
29h Mosaïque de Pompéi. Naples, Musée national.
29b *Idem* (détail).
30-31 Procession à Séville (détail), gravure anonyme. Paris, Bibliothèque nationale.
31hg Mois de janvier, in *Psautier d'Ingeburg du Danemark*. Chantilly, musée Condé.
31hd «Adoration des Mages». Bayonne, musée Bonnat.
32 «L'Astronome, le clerc et le computiste», in *Psautier de Saint Louis*. Paris, bibliothèque de l'Arsenal.
32-33 Célébration de la Pâque juive, gravure anonyme. Parme, bibliothèque Palatine.
33h Calendrier du XVe siècle.

CHAPITRE II

34 *Une kermesse*, peinture de Bruegel de Velours. Rouen, musée des Beaux-Arts.
35 «La Danse des Morts», in *Chronique de Nuremberg*. Paris, Bibliothèque nationale.
36h *La Kermesse d'Hoboken*, peinture de Bol d'après Bruegel l'Ancien. Chartres, musée des Beaux-Arts.
36b Calendrier flamand, mois de décembre, miniature du XIe siècle. Londres, British Museum.
37 *Le Cortège des noces* (détail), peinture de Bruegel d'Enfer. Paris, musée du Petit Palais.
38h *Les Sept Péchés capitaux : la gourmandise*, peinture de Jérôme Bosch. Madrid, musée du Prado.
38-39 Masques de carnaval, catalogue de la fabrique allemande Manebach, 1865. Paris, bibliothèque des Arts décoratifs.
39h Couple de paysans dansant, gravure de U. Graf. Paris, Ecole nationale supérieure des Beaux-Arts.
40 Procession, bois gravé, XVIe siècle. Florence, bibliothèque Riccardiana.
41 *La Meule de foin*, peinture de Jérôme Bosch. Madrid, musée du Prado.
42-43 *Le Triomphe de la mort* (détail), peinture de Bruegel le Vieux.
44 «Le Roman de Fauvel», charivari. Paris, Bibliothèque nationale.
45h *Saint Antoine*, imagerie populaire. Paris, musée des Arts et Traditions populaires.
45b «Le Char des morts», charivari, gravure anonyme. Florence.
46 «Les Noces de Mopsus et Nisa», gravure de Bruegel.
47h Couple de bouffons dansant, gravure anonyme.
47b *Noces villageoises* (détail), peinture de Bruegel le Jeune. Gand, musée des Beaux-Arts.
48h Livre pour enfants anglais, fin XVIIIe siècle. Caen, Bibliothèque municipale.
48b «La Dispute pour la culotte», gravure de Meckenem. Paris, Bibliothèque nationale.
49 *Le Livre du champion des dames*, manuscrit du XVe siècle. Paris, Bibliothèque nationale.
50h *Le Chat emmailloté*, peinture de Frangipani. Nantes, musée des Beaux-Arts.
50b, 51 Les personnages de la fête de Brezaia en Roumanie. Paris, musée de l'Homme.

CHAPITRE III

52 «Carnaval de Nuremberg», 1449. Londres, Bodleian Library.
53 Cortège musical, Paris, 1400. Londres, Bodleian Library.
54h «Saint Nicolas», dessin de J. Amman. Paris, musée du Louvre.
54-55 *Scène de carnaval*, peinture d'après Jérôme Bosch. Anvers, musée Mayer Van den Bergh.
56h «L'Origine des masques» par C. Noirot. Paris, Bibliothèque nationale.
56-57 «Mascarades», gravure de Robert Boissart, 1597. Paris, Bibliothèque nationale.
57h «L'Ane à l'école» de Bruegel l'Ancien, gravé par Van der Heyden, 1557.
58, 59h, 59b «Carnaval de Nuremberg», 1449. Londres, Bodleian Library.
60b «Les Triomphes de l'abbaye des Conards». Paris, Bibliothèque nationale.
60-61 *Les Membres de la confrérie Sainte-Barbe de Dunkerque*, peinture anonyme. Dunkerque, musée des

CHAPITRE IV

CHAPITRE V

TÉMOIGNAGES ET DOCUMENTS

INDEX

A

B

C

CRÉDITS PHOTOGRAPHIQUES

Archives Tallandier, Paris 124. Artephot, Paris 22. Artephot/Bapier 21h. Artephot/Brumaire 126. Artephot/Faillet 110-111. Artephot/Mandel 71h. Artephot/Martin 27, 41. Artephot/Nimatallah 12, 15, 28, 29h, 29b. Artephot/Oronoz 94h. Bibliothèque nationale, Paris 1er plat de couverture, 19b, 25h, 30-31, 35, 44, 56h, 56-57, 64, 65, 113, 114, 115, 159. Bodleian Library, Londres 52, 58, 59h, 59b. Bulloz, Paris 34, 36h, 60-61, 66, 76b, 88, 89, 92, 120-121, 125h, 125b, 157. Charles Camberoque 144d. J.-L. Charmet, Paris 17h, 21b, 38-39, 98b, 99, 117, 130. Dagli Orti, Paris 11. Droits réservés 26h, 39h, 40, 45b, 46, 47h, 48h, 48b, 57h, 60b, 74-75, 78, 79, 81h, 93, 106-107, 119, 134, 140-141h, 144g, 151. Ecole nationale supérieure des Beaux-Arts, Paris 82. Edimédia, Paris 36b, 49, 53, 91, 98h, 102-103. Edimédia/Rousseau, Paris 104b. Editions Gallimard/Pierre Pitrou, Paris 45h. Explorer/Charmet, Paris 104-105, 105b. Explorer/Errath 147. Explorer/Steinlein 109h, 145bd, 145bg. Explorer/Weisbecker 108, 137h. Giraudon, Paris 18-19, 24-25, 31hg, 31hd, 32, 37, 42-43, 47b, 71b, 74g, 75h, 83, 96-97, 100-101, 110b, 127. Giraudon/Bridgeman 16. Giraudon/Lauros 26b, 38h, 70, 72, 73. Kunsthistorisches Museum, Vienne 62-63. Musée des Arts et Traditions populaires de Antonis-Rome, Rome 128-129, 133. Musée de l'Homme, Paris 50b, 51, 138. Musée de la Vie bourguignonne, Dijon 68, 69. Musées de la Ville de Paris 80-81, 122. Musées de la Ville de Paris © Spadem Dos de couverture. Musée Masséna/de Lorenzo, Nice 1 à 9. Musée Mayer Van den Bergh, Anvers 54-55. Museo Bottacin, Padoue 90h Musée des Beaux-Arts, Nantes 50h. Novosti/Kavier, Paris 112. Photothèque Elise Palix, Paris 94-95. Rapho, Paris 136-137. Rapho/Donnezan 109b. Rapho/Kuhn 148. Rapho/Silvester 146. Rapho/Wheelan 150. Rapho/Zaorski 139. Réunion des Musées nationaux, Paris 13, 14bg, 14bd, 17b, 20, 54h, 67, 76-77, 80h, 97h. Roger-Viollet, Paris 4e plat de couverture, 23, 32-33, 33h, 61b, 84, 85, 86, 87, 103h, 116, 135, 145h. Staatliche Museen Preussischer Kulturbesitz/Anders, Berlin 90b.

COLLABORATEURS EXTÉRIEURS

Perrine Cambournac a assuré le suivi éditorial de cet ouvrage. Max de Carvalho en a corrigé le texte. Dominique Guillaumin a réalisé le montage des Témoignages et Documents. Agnès Viterbi a effectué la recherche iconographique.

Table des matières